LIANGSHI

De Yingyang
Yu Baojian

粮食

的

营养与保健

中华食物保健

李希新 ◎ 著

中国物资出版社

图书在版编目（CIP）数据

粮食的营养与保健／李希新著 . —北京：中国物资出版社，2009.10
（中华食物保健）
ISBN 978 - 7 - 5047 - 3204 - 0

Ⅰ. 粮…　Ⅱ. 李…　Ⅲ. ①粮食—食品营养②粮食—食物疗法　Ⅳ. R151. 3　R247. 1

中国版本图书馆 CIP 数据核字（2009）第 154520 号

策划编辑　黄　华
责任编辑　黄　华
责任印制　方朋远
责任校对　孙会香　杨小静

中国物资出版社出版发行

网址：http://www.clph.cn

社址：北京市西城区月坛北街 25 号

电话：(010) 68589540　邮政编码：100834

全国新华书店经销

北京京都六环印刷厂印刷

开本：710mm×1000mm　1/16　印张：11.5　字数：188 千字
2009 年 10 月第 1 版　2009 年 10 月第 1 次印刷
书号：ISBN 978 - 7 - 5047 - 3204 - 0／R · 0065
印数：0001 - 4000 册
定价：**22. 00 元**
（图书出现印装质量问题，本社负责调换）

编 写 说 明

　　近代出版的饮食保健类书籍多属餐饮烹饪之类，而论述食物的营养及食疗作用的书籍甚少，这就好比有了方剂学，却无中药学是一个道理，人们吃得不太明白。本丛书的编写以论述各种食物的食疗保健为目的，以科学性、知识性、实用性为基准，深入浅出地介绍了食物的营养保健作用，故定名为《中华食物保健》。

　　本丛书分为粮食、蔬菜、水果和水产品等分册，每一分册又分为总论和各论两部分。总论部分主要介绍食物保健的基本知识，如食物的起源、食物的性能，粮食、蔬菜、水果等食物的基本作用，如何科学选择、搭配食物等。各论部分的每种食物名称之下，均按"基原"、"异名"、"营养保健"、"食性"、"功效"、"饮食调养"、"饮食注意"、"按语"等栏目作详细的介绍，意在使读者对各种食物有更清晰的了解。

　　食物名称，均以各种食物的常用名称为正名。

　　食物"基原"一项，主要介绍了食物的科属、可食部分、起源地、引进地或栽培历史、现主产国、品种分类或优良品种，以及在我国的主产区等诸多相关知识。

　　"异名"一项，主要介绍食物的常用别名或地方用名以及古代曾用名等。

　　"营养保健"一项，重点介绍食物的营养成分、食疗作用，并注重吸取最新的研究成果，以便印证食物的食性和功效。

1

"食性"一项，主要介绍食物的性味、归经。对部分性味、归经不完善的食物，本丛书根据有关文献及近代研究作了适当的修改和增补。

"功效"一项，重点介绍食物的常用功效，并依据古代文献和现代研究对多数食物的功效作了较大的修改或补充。

"饮食调养"一项，主要介绍了各种食物的食疗保健用法，所选食疗方法均以科学、实用为标准。例如：在黄豆中介绍了黄豆、花生水泡磨浆，煮熟喝，用于脂肪肝的食疗；在芹菜中介绍了用鲜芹菜、鲜牛奶，煮食治疗痛风的特效食疗法；在生姜中介绍了生姜切碎放在猪肚中，加水炖烂，治疗胃、十二指肠溃疡的良好效果；在马铃薯中介绍了马铃薯洗净捣泥，外敷患处，治疗湿疹的巧妙用法；在芒果中介绍了芒果肉，早晚服用，并取果皮涂擦患处，能治愈多发性赘疣的经验；在辣椒中介绍了红辣椒、仙人掌，用白酒浸泡，外敷治疗风湿，止痛效果好的经验；并精选了我国美味食疗富有代表性的料理食谱。

"饮食注意"一项，重点介绍了食物的某些副作用、烹饪注意事项、配伍禁忌等。

"按语"一项，介绍了该食物的食用方法及加工品，并简要介绍某些食物的其他相关知识。

李希新

2009 年 6 月 6 日于山东中医药大学

 前 言

　　我国是一个幅员辽阔、物产丰富的国家，众多的动植物是中华民族赖以生存和发展的首要条件。随着中华民族的崛起和振兴，人民生活水平日益提高，人们对食物特别是对绿色食物、野生食物的保健作用越来越重视。

　　《汉书·郦食其传》载："王者以民为天，而民以食为天。"说的是秦朝末年有个叫郦食其的人，对汉高祖刘邦所进的忠言。"民以食为天"，"国以土为本"则是历朝历代的立国之本。《素问·平人气象论》也指出："人以水谷为本，故人绝水谷则死"。

　　我国早在周朝就已有"食医"的官职和专科设置，食医是专职食疗、食养的医官，负责食物调配、维护健康、预防和治疗疾病。战国时期的医家已经非常重视运用食物来防治疾病，如扁鹊云："为医者，当须先洞晓病源、知其所犯，以食治之，食疗不愈，然后命药"。《黄帝内经·素问·藏气法时论》提到："毒药攻邪，五谷为养、五果为助、五畜为益、五菜为充，气味合而服之，以补精益气"。唐代医药学家孙思邈对饮食保健也颇为重视，他在《备急千金要方·食治篇》中强调："安身之本，必资于食；……不知食宜者，不足以存生也"，并认为"食能祛邪而安脏腑、悦神、爽志，以资气血"。"若能用食平疴，适性遣疾者，可谓良工"。从古至今，中医食疗和营养专著多如繁星，诸如唐代孙思邈的《千金·食治》、张鼎的《食疗本草》、昝殷的《食医心鉴》、南唐陈士良的《食性本草》、

1

元代忽思慧的《饮膳正要》等，加之近代出版的众多的营养保健专著，为人类健康作出的贡献是有目共睹的。

从远古的茹毛饮血到今天的科学饮食，人类进步的历史同时也是食物进化的历史。无论是刀耕火种，还是现代化的大生产；从三皇五帝到平民百姓，人类对食物的研究一直重复着一个古老的问题，那就是吃什么？如何吃才谓营养？当然，现在书店有关膳食营养的书籍如汗牛充栋，但是饮食保健的精品书、实用书却是屈指可数，读者很难选购到一本令自己满意的饮食保健的书籍。笔者从事饮食营养学的教学和临床医疗实践数十年，在食物保健方面有着丰富的经验知识，愿为人们的食物保健尽一份微薄之力，鉴于此，笔者编写了《中华食物保健》丛书。本丛书收集、整理了我国人民平时经常食用的食物数百种，分为粮食、蔬菜、水果和水产品等分册。每个分册从中医食疗保健和现代营养学两个角度分别论述、介绍了各种食物的产地、营养价值、食疗保健、健康影响等保健知识。根据食物的不同特性和人的个体差异，对食物的选择问题给予了指导。

人的一生最大的财富是身体健康，因而，从身体的角度而言保持健康比增加薪水更加重要。相信各位在翻阅本丛书之后，会给你的健康饮食带来诸多帮助，你会明白选择什么样的食物和如何吃才为科学膳食。俗话说："最好的医生是自己"。这部《中华食物保健》丛书可以帮助你成为"自己的饮食保健医师"。如果诸位读者看了这部丛书之后，能够针对自己的体质选择合理的膳食，达到防病医疾、健康长寿的目的，笔者就感到欣慰了。在此，祝愿每一位读者吃出健康、吃出长寿，过上健康美满、高品位的饮食生活。

目前，饮食保健领域还有诸多问题尚待进一步深入研究和探讨，由于时间仓促，加之水平有限，纰缪之处在所难免。诚恳希望广大读者提出宝贵意见，使之逐臻完善。

李希新

2009 年 6 月 6 日于山东中医药大学

目 录

contents

粮食的营养与保健

目
录

第一章　食物的起源与发展

第一节　食物的起源

　　原始社会时期，在毒蛇猛兽的侵袭与严寒酷暑气候的威胁下，人们为了生存，尤其是为了充饥的需要，不断创造着保护自身的物质条件，这就是衣、食、住的发明。其中食物不断地发现和创造在人类保健史上具有特别重要的意义。远古时代人们在寻找食物的过程中，发现某些食物不仅能够充饥，而且还有很好的保健作用，可以药食两用。

　　我国远古时代的历史有相当一部分通过传说保留在古代文献里。这些传说反映了远古时代一定的历史痕迹，为我们了解人类的早期社会提供了一些可考察的线索。古代传说在饮食保健的起源方面也留下了历史的痕迹，成为后人研究食疗、食养的历史线索。

　　远古时代，在我国辽阔的大地、丘陵沟壑、河谷两岸、平原沃土及江河湖海，不仅生长着大量可供人们采集的野生植物，而且活动着大批可供人们猎取的野生动物和可捕捞的鱼虾河蚌。植物类如大枣、毛栗、榛子、核桃、桑葚、山楂、山梨、桃、李、杏、梅、海棠、沙果、野韭菜、苎麻籽及野生的莠、黍、大豆等；动物类如野鹿、野牛、野马、野驴、野猪、

1

羚羊、麝、狗獾、狐狸、刺猬、野兔、大雁、野鹅、鹌鹑、山鸡等。此外，还有江河湖沼中的莲藕、荸荠、菱角和各种鱼虾河蚌。而我国江南还有橘、柚、荔枝、龙眼、槟榔、橄榄、香蕉、椰子等。这些动植物既可供古人类充饥，又能防病强身。然而这样良好的生物环境却常因气候变迁，使许多野生植物生长环境变得干燥，可供采集的区域因此缩减，人们只能聚集在有稳定雨水的地区。随着人口的增加，有人尝试将野生的谷物移植到这些雨水充足的区域，于是便开始有了耕种。

一、食物的采集

狩猎采集经济曾是地球上所有人类共同的生计方式。人类早期的历史，是一部以开发食物资源为主要内容的历史。正是在这个过程中，形成了一定的社会结构，促进了社会向前发展，创造了悠久的史前文化。

在中国发现的古人类化石及其文化遗迹相当丰富，最著名的有属于早期直立人元谋人、晚期直立人蓝田人和北京人、早期智人丁村人、晚期智人山顶洞人的化石等。这些古人类生活的时代在 100 多万年至 1 万年前，即旧石器时代。这时他们是一群群、一代代饥饿的猎民。为了维持自己的生存，人类要与形体和力量都远远超出自己的许多动物搏斗，如庞大的犀牛、凶猛的剑齿虎、残暴的鬣狗，都曾经是人类的腹中之物。那些温顺弱小的禽兽、江河湖沼的游鱼虾蚌，更是逃脱不了这些原始的猎人和渔人的搜寻了。

在旧石器时代晚期，据考古学所知的欧洲，人们似乎通过狩猎获取大部分食物，狩猎的主要对象是大的流动性动物群，如野牛、羚羊、猛玛。大约在公元前 12000 年开始，一些地区的人们开始较少依靠大规模狩猎，而较多地依靠相对稳定的食物资源，如鱼、贝壳、小猎物和野生植物。在冰期退后，许多地方咸水及淡水的食物资源愈加丰富。冰融化后，海水上升而形成海域、海湾，这些地方可以发现蟹、蛤、蚌和海生哺乳类动物等。

除狩猎动物之外，古人类更可靠的食物来源是植物，是长在枝头、结在藤蔓、埋在土中的各类果实和野蔬。在连这些果蔬一时寻觅不到的时候，人类不由自主地把注意力转向植物茎杆花叶，选择品尝那些适合自己胃口的东西。不知通过多少代的尝试，也不知付出了多少生命为代价，才筛选出一批批可食植物及其果实。

史前的狩猎采集者可有两种方式，一种叫集食者（collector），这种群体有储备的习惯，他们通过派出狩猎采集者去获取食物，他们有相对固定的居址；另一种叫寻食者（forager），这种群体不储备，他们白天出去寻找食物、黄昏返回，没有相对固定的居址。两者的区别仅是流动性的差别，而仅这一点点差别随着时间推移，其结果的区别是惊人的。集食者因为有相对固定的居址，他们就有可能或者说不得不投资居室建筑、更耐用的工具（这种工具往往更重而不易携带，如磨制的石器）、实用但不易搬运的容器，如陶器，可以更多地进行储备。因为不用拖儿携女，他们生育的间距更短，所以生育的孩子也更多，人口密度自然也更大，而所有这些都是农业起源过程中至关重要的因素。考古学家们常常把固定的村落、陶器、动植物的驯化、磨制的石器作为农业革命的标志，而这些要素在集食者的群体中都已有一些雏形。农业相对狩猎采集是需要更高强度的劳动，它需要更多的劳力，人口规模是前提条件之一；通常磨制的石器实际是一种冗余设计，它的好处就是更耐用。也就是说集食者在农业革命的过程中有更好的资源禀赋结构。

集食者主要生活在哪些地域呢？资源在时空上都平均分布的地区，如热带雨林是不需要集食者这样的生计策略的，在资源非常贫乏的沙漠、草原、高原，狩猎采集者本来就无法生存，因为人类如果没有马匹帮助的话，单凭两条腿是不能有效利用这些资源的。这种策略在两个生态带的结合地区（ecotone）特别地适用，宏观上说就是中温带，微观上是比如森林的边缘、山麓这样的地带，这里可以利用的资源种类最丰富，但是它的资源稳定性差，环境的微小变化首先影响的就是这个地带。因此在这样的地区最稀缺的就是资源的稳定性，而农业能够解决的正是这个问题。农业的形成依赖于合适的物种与土地，在中国，我们可以看到最早期的农业产生于山麓地带，它逐步向平坦的地区迁移，山麓地带是"但开风气不为先"，这个过程持续了大约两三千年。

还有一个有趣的现象是随着驯化马的使用，一些狩猎采集者成了专门的猎手。在一万年前后，末次冰期结束，森林开始向北扩张，从前的草原被森林所代替，草原上成群的食草动物被片片森林隔开，以狩猎采集为生的人类面临日益减少的猎物资源，他们必须比以前走更多的路，才能打到足够的猎物，然而人类步行的速度是有限的，每天的捕猎时间也是有限的，而马的使用极大地提高了人类的运动速度和行动距离，所以即使猎物资源有限，在一些地方狩猎采集还是可以谋生的。

农业出现后导致人类人口爆炸性地增长，新增加的人口就需要更多的土地，早期的农业多是刀耕火种，人们焚毁森林、排干沼泽、开垦草地，狩猎采集者不知不觉地被排挤到边缘的环境地带，如沙漠边缘、高原上、山地和森林中。

二、食物的生产

在经历了漫长的旧石器时代之后，大约不晚于公元前 1 万年，我国进入了新石器时代。此时，着重于经济和技术发展的水平，一般认为新石器时代有四大特征，即农业的产生、动物的驯养、陶器的制作、磨制石器的使用。这四个特征并不一定同时出现，它们的意义也不尽相同，但其核心的问题是可作为新石器时代开始的最重要标志，是食物生产的出现。农业的出现是人类史上的第一次革命，也是区分新、旧石器的重要标志之一，它为人类从蒙昧、野蛮迈向文明奠定了坚实的基础。

一般说来，农业革命主要包括栽培作物的产生和驯化动物的起源。人类的生活资料的获得也从原先的狩猎采集带有索取性的方式进入以种植和养殖为主的生产性经营模式。据考古发现，在距今 1 万年前后，中国大地上发现的新石器时代遗址，数以千计，如星罗棋布。其中尤以黄河两岸分布最为密集，遗址分布较为疏散，农业植被覆盖，只是点线式发生，而不能构成广阔的农业植被面积。黄土地带和黄土冲积地带，已经有了一些原始的农耕部落。

我国西北地区被认为是中华民族文明的起源地，传说中的神农就产生于陕西岐山西面的姜水，神农在先秦以来的古代传说中是农业和医药的创立者。传说神农以水为姓，即姜姓，一般认为姜姓是古羌族的一支。随着第三纪晚期以来青藏高原的迅速隆起，我国西北地区不断干旱，生活在这里的古羌族狩猎变得越来越困难，所以南迁进入黄河支流的渭水流域和长

粮食的营养与保健

江支流的嘉陵江上游开始了农业生产。

进入渭河流域的古羌族人很早就开始了对粟（稷）的驯化。这里地处富有森林的秦岭北坡，又在黄土高原南面，而且处在渭水的上游，既可以有森林作为庇护所，并从中采集、狩猎各种生物资源，又可以在干旱的黄土高原得到莠（粟的野生种）的籽实，使人们对莠的周期性繁殖留下了深刻的印象，逐步地开始了莠的驯化栽培。《周书》中说："神农之时，天雨粟，神农遂耕而种之。作陶冶斤斧，为耒耜锄蓐，以垦草莽。然后五谷兴助，百果藏食。"《国语·鲁语》载："昔烈山氏之有天下也，其子曰柱，能殖百谷百蔬。夏之兴也，周弃继之，故祀以为稷。"这里的烈山氏可能指的是放火烧荒，柱可能指的是早期用木棍点播的一种种植方式，形象地描述了神农驯化栽培粟的"棍耕火种"过程。

栗子这种坚果在古代果实中很受重视，从大地湾文化的后继者西安半坡的仰韶文化遗址中曾出土过大量的栗子，现今秦安所在的天水地区仍然分布着大面积的天然野生栗子林，栗子可能也是由这一地区首先驯化栽培的。甘肃林家马家窑文化遗址出土过栽培类型的大麻籽，说明大麻也可能最早起源于这一地区。值得重视的是原产于西亚的小麦，可能在马家窑文化时期已经传入我国的渭河流域，因为距今约四五千年前的陕西赵家来客省庄文化遗址中曾发现小麦遗存。

可以看出，渭河上游的秦岭山麓及周边的黄土高原地区是我国温带耐旱作物的重要起源中心之一。尤其是稷（粟）几乎成了中华民族的一个重要图腾，不但神农的后代称作稷，而且周人的祖先因为从母系氏族——神农族那里继承了这种作物的栽培方法，也被尊为稷。他们都被后人认为是五谷神，与土地神——社合称便成为国家的代名词社稷。

根据地质学家研究，华北地区在距今 7000 年至 5000 年前，气候逐渐变得比现在还要温暖一些，阔叶树种逐渐占优势，草本植物也达到高峰，这一时期是非常适合农业生产的。虽然早期的新石器遗址没有发现这里有栽培作物的存在，但是与上述大地湾遗址同期并处在黄土高原的河北武安磁山文化遗址却曾发现大量的粟的遗存，说明这里粟的栽培有相当长的历史。出土的其他作物还有核桃和榛子。另外，在裴李岗文化遗址中还出土了不少酸枣，在新郑沙窝李的新石器遗址中曾出土过枣核，这种果树与西

第一章　食物的起源与发展

北地区起源的栗子在我国古代北方农业生产中占有重要地位，它们一直是我国华北地区重要的"木本粮食"。

在我国的南方，长江流域的开发史也与黄河流域一样古老，在距今1万年前，这里已有了原始的农耕稻作和捕捞文化，很早就有人类在各大湖的周围捕鱼拾贝、采集植物果实或嫩芽。传说中的蛇身人首的伏羲（包牺）可能就是爬行动物众多的长江下游和华东地区人们的远古始祖。《易传·系辞下》记载他曾"作结绳为网罟，以佃以渔，盖取诸离"。后来"包牺氏没，神农氏作"，意味着农业就从这里开始了。在距今1万多年前的江西万年县仙人洞和吊桶环遗址曾经出土过水稻的植硅石。在差不多同一时期的湖南道县玉蟾岩遗址曾出土过栽培稻谷的果实，后来考古学家又在湖南澧县八十土当遗址中出土了大量距今约八九千年的栽培稻谷。这无疑很好地证明了我国是水稻的原产地之一，长江中下游太湖区周围应该是水稻栽培的起源地。

另外，湖南道县还可能是柑橘的栽培起源地之一，因为历史上早期记载说洞庭湖一带的柑橘很有名，至今道县还有野生橘的分布。麻类中的苎麻可能也是由这个地区首先驯化而成为栽培植物的，良渚文化的钱山漾遗址曾发现有较多的碳化苎麻平纹布和细绳，这表明此种作物的栽培已经有相当长的历史。

值得说明的是上述古羌族人或他们生活在陇南的后裔可能有部分进入四川岷山山地的岷江和嘉陵江上游地区，成为"三星堆"远古居民的先祖。从《史记》等有关记载来看，这里应当是芋头驯化地和分化中心之一，这一地区至今仍有野生芋分布。云南地区可能是我国最早栽培葫芦和小豆、豇豆的地方，这一地区的人们有许多关于人类源于葫芦的传说，有许多葫芦崇拜的习俗，盘瓠（盘古）创造人类的神话可能与这一地区有关。

可以肯定新石器文化是人类处于定居或半定居状态下创造的一种农、牧、渔、猎文化，所以一个地区新石器文化遗址的分布状况，基本代表了该地区新石器时代农业文化的水平。原始农业的发生和发展，使人类获取食物的方式有了根本改变，变索取为创造，变山林湖海养育为黄土大河养育，饮食生活有了全新的内容。长江流域也由原来的捕鱼拾贝、采集植物，变为以种植水稻为主要食物来源的生活模式。

原始农业的发展还使得另一个辅助性的食物生产业——家畜饲养业产生了，家畜中较早驯育成功的是狗，由狼驯化而来，学术界公认我国北方养狗至少有 8000 年以上的历史。在河南庙底沟和陕西半坡遗址，以及河北磁山遗址中都发现了狗的骨骸。农耕部落最重要的家畜是猪，猪原自野猪的驯化，野猪主要分布在欧亚大陆的南部，即分布于欧洲、北非和亚洲中部天山山脉的欧洲野猪和分布于大陆、爪哇、苏门答腊和新几内亚的亚洲野猪。家猪又起源于何时何地呢？国内外学者借助分子生物学研究家猪的起源，结果证实欧洲家猪和亚洲家猪分别起源于欧洲野猪和亚洲野猪，即家猪有着两个母系起源。我国迄今发现的最早的家猪，一般认为是距今约 8000 年的河北省武安县磁山遗址，与狗的驯化是同一时代。

驯养动物的前提，必须建立在所捕猎的活的动物十分富裕，不需要马上杀吃的基础上，在这种情况下，人们往往拿出自食之物的残留部分（粮食之类）来饲养这些动物，家畜的饲养就是由此而开始的。新石器时代饲养家猪的前提条件：一是传统狩猎获得的肉食已显出不足，需要寻求新的肉食资源；二是居住环境周围存在着一定数量的野猪，容易获得和驯化；三是农产品有了一定的剩余，为家猪饲养提供了足够的饲料。

人类获取肉食的模式，按时间先后可分为三种，即依赖型、初级开发型和开发型。在早期渔猎是肉食的主要来源，肉食的丰富程度与获取的难易，完全受环境资源的制约，这种获取肉食的模式称为依赖型。之后除渔猎外，人们学会了将某些动物驯化，开拓了获取肉食的新资源。此时，肉食资源主要还是以渔猎为主，原始畜牧业仍然居于辅助地位，这种模式被称为初级开发型。随着畜牧业的开发，渔猎的比例逐渐下降，人们的肉食来源发生了质的飞跃，即肉类大部分来源于某种驯化的家畜，周围环境野生动物已下降成为肉食的次要来源，人们将这种模式称为开发型。显而易见，家猪的起源应当发生在初级开发型阶段，即驯化的开始阶段。中国传统家畜中的"六畜"，即马、牛、羊、鸡、犬、豕（豕 shǐ，即猪），在新石器时代均已驯育成功。

新石器时代的先民，不仅有了定居的村落，而且在村落附近刀耕火种，开垦了大片土地，地里不仅种植粟、黍、麦、豆、稻、麻类作物，还有蔬菜、水果之类，牛、羊、猪、狗、鸡、蚕也被人们饲养。人们对谷物的加工，不仅可脱皮，而且还有可以加工成浆或粉，甚至酿造成酒。

农业革命开创了一个人类控制生物资源的新时代，人们自己去生产食物而非仅仅依赖自然生长的食物。食物的生产也许并没有什么特殊之处，只不过是创造一个环境让作物和动物自己生长。但是农业革命带来的效应是惊人的，农业使人口大量增加、复杂的社会组织成为可能、国家形成、文明起源，这些都是农业革命的硕果。

三、火的发明创造

人类最初的饮食方式，同一般动物并无多大区别，获得食物时，也是生吞活剥而已，古人谓之"茹毛饮血"。《礼记·礼运》说："昔者先王未有宫室，冬则居营窟，夏则居橧巢。未有火化，食草木之实，鸟兽之肉，饮其血，茹其毛。"营窟是上古时代人们掘地或累土而成的住所；橧巢是以薪柴堆砌而成的住所。如郑玄注："寒则累土，暑则聚薪柴居其上"。"茹毛"并不是指食鸟兽的毛，根据训诂和修辞，毛亦可作草木解，"茹毛"可能是食草木之根叶。又见《淮南子·修务训》说："古者民茹草饮水，采树木之实，食蠃蚘之肉，时多疾病伤毒之害。于是神农氏乃始教民播种五谷……"《周礼·天官·醢人》载："朝事之豆，其实昌本"。郑玄注："昌本，即苴蒲根也"，说明菖蒲是用作菹吃的，但也可作鲜草吃。如《吕氏春秋·遇合》载："文王嗜昌蒲，孔子闻而服之，缩安页（不安之意）而服之，三年然后安之。"

当人类认识了火以后，就跨入了一个新的饮食文化时代，这便是火食时代。掌握了用火技能的人类，接着又发明了取火和保存火种的方法。人类最早使用的是天然火，包括火山熔岩火、枯木自然火、闪电雷击和陨石落地所燃之火。人类何时开始控制火，至今仍然是个谜。所有理论似乎都认为，是由打火石的突然撞击而发出火花开始。周口店北京人洞穴遗址发现过用火遗迹，考古发掘见到厚达 4～6m 的灰烬层，中间夹杂着一些烧裂的石块和烧焦的兽骨，还有烧过的树子，这是确定不移的庖厨垃圾，这说明人类那时确实已经学会了用火；这也是明确的用火证据，年代在距今 50 万年以上。

在火成了必不可少的生产生活资料以后，人类又发明了一些人工取火的方法，可以创造出火种来。在中国文化传说中，流传最广的人工取火故事便是"钻木取火"，战国时期的著作《韩非子·五蠹》中说："上古之世……民食果菰蚌蛤，腥臊恶臭，而伤害腹胃，民多疾病。有圣人作，钻燧取火，以化腥臊，而民说之，使王天下，号之曰燧人氏。"东汉班固著《白虎通义》也载："谓之'燧人'何？钻木取火，教民熟食，养人利性，避臭去毒，谓之燧人也。"可见在传说中的"燧人氏"时代，原始人已经学会用火熟食。从人类控制火到发明烹饪，天才的想法必须跨越从理论到实际的巨大鸿沟。在有些气候下可以很快生起火来，如果有合适的打火石和引火物，能比较有把握地擦出火来。然而远古的时候，很多原始部落没有理想的取火条件，必须把火当作圣火采集并保存。在过去很多地方，保留火种并随身携带，比需要时重新取火要容易。而且一些人丧失了火或者从没有掌握点火的技巧——或许认为火非常神圣而不敢点燃。即使随时可以取得火种，人们也未必可以轻易地将其用于烹饪。只有部分食物可以通过火烧、烟熏、烘烤来加工。一直点燃火还可以方便看守、取暖或者驱赶昆虫和野兽。

有了火以后，熟食的比重逐渐增加，最初火熟的方式主要是烧烤，将食物在火中直接烤熟，这种方法流传到现在，仍可制出美味佳肴。火的发明和使用在人类卫生保健史上起到了重要的作用，火可以把人们聚集在它的周围，照明、取暖、抵御寒冷，使人远离毒虫和凶猛的禽兽。更为重要的是火改变了原始人的饮食方法，使人类的食物由生食变为熟食，使其更有利于人体吸收。由于火的使用使腥臊难咽的肉食、鱼类变成了营养味美的可食之物，这样也扩大了食物来源，如考古发现距今约一万八千年前的山顶洞人就经常猎获鹿类、野猪、野牛、羚羊、狗獾、狐狸、刺猬、野兔、鼠类和鸵鸟等，同时还可在水中捕获一公尺长的青鱼，并常常捞取厚壳河蚌和捡取蜗牛及鸵鸟蛋。火还有消毒杀菌的作用，这就使熟食比生食更卫生，从而减少了肠胃疾病；熟食又促进了人体的生长发育，尤其是肉类食物的增加，促进了人类脑髓的发展。

四、烹饪技术的发明

可以推测，人类控制了火之后，接踵而来的就是烹饪了。烹饪是偶然发现的，人类有可能在火被驯服之前，就开始了对烹饪的实践。自然界的大火余烬，吸引着许多动物，它们在那里筛选烤熟的种子和豆类，火烧后，这些植物变成味香可吃之物。今天，人们可以观察到，野外的猩猩具有的搜食技巧，作为类比，可以认为与原始人搜寻食物的道理相同。对一种有足够脑力和灵巧性的生物来说，燃烧过的森林里的一些事物，例如一堆堆的灰烬，部分树木燃烧的枝干，都可以作为天然的炉子。用可以控制的热力，在其中加工硬壳的种子或豆类、无法咀嚼的豆荚，还有腥臊的肉类。

人类最早发明的烹饪方法是用热石头做盘子，即用火加热石头，再把食物放在石头上烤。这对那些天生被包裹起来的食物，例如有壳的软体动物，或其他在厚壳里的野果和谷物，如毛栗、榛子等特别有效，这样在食物加热时可以保持湿润。或者用叶子将食物裹起来，再放进余火里烤。在这种烹饪方法中，石头被堆积起来可以充分利用热量。如果在地面挖一个凹槽，那么凹槽限制住空气流动，就可以减少热量的散失。消除这些问题最省力的办法，是用合适的叶子、草皮或动物的毛皮做成上面的隔热层。在现代文明中，至少直到最近，人们对热石烹调方法的经验，仍多数来自于野外烧蛤聚餐。把蛤从沙子中挖出来，用海边的流木和海草引火，加热石头，放上海蛤，蛤受热后，壳会张开，为了防止汤汁流出，石头上面的蛤壳必须是完好的。

在历史上，热石烧烤的主要作用是引发了炉灶的产生。这种发明显示了人类智慧的独创性，人们用石头垒起一个火灶，使它成为天然的烤炉，灶中装上水，水被加热后，就变成了煮锅或蒸锅。所有这些技术，例如利用灰烬、熊熊烈火、加热的石头、挖坑或直接用火烤等，都是用在专门的烹饪用具出现之前。古代尽管人们可以用蚌壳做很好的煮锅，但世界上很少能找到足够大的、适合烹饪的壳。在陶罐被加工出来之前，是利用乌龟或其他生物的壳。面对远古时代陶器的发明，通常有把握的解释，就是在柳条编织的器具外抹上泥土，用做保护层，以便悬在火上。陶罐被运用于

粮食的营养与保健

烹制食物，由于其本身耐火和防水，使人们可以经常吃到烧烤、蒸煮的食物。直到微波技术的出现，人们才有了新的烹饪方法。在此期间的所有发明，都只是使食物的加工过程更为简便，并没有本质上的发展。

五、陶器的创造

陶器在很大程度上是为谷物烹饪发明的，是原始农耕部落的创造。原始农耕部落有比较稳固的生活来源，不再频繁迁徙，开始有了定居生活，陶器正是在这个时候来到人类世界的。最初的陶器多为炊器，也有食器，它确实是饮食生活发展到高一级阶段的产物。制作炊器的陶土羼有砂粒或谷壳、蚌壳末等，具有耐火、不易烧裂和传热快等优点。制食器的陶土经过淘洗，由于不直接接触火源，所以一般不羼砂粒，表面较为光滑。

中国陶器大约创始于距今 1 万年前，南方和北方都发现了将近有一万年历史的破碎陶器，而且多是所谓夹砂陶器。早期的夹砂陶器多为敞口圆底的样式，都可以称为釜。陶釜的发明在烹饪史上具有非常重要的意义，后来的釜不论质料和造型产生过多少次的变化，它们煮食的原理却没有改变。更重要的是，许多其他类型的炊器几乎都是在釜的基础上发展改进而成的。例如陶甑——是有了釜才会有的蒸器。

长江下游三角洲地区，马家浜文化和崧泽文化居民都用甑蒸食，著名的河姆渡文化遗址则发现了迄今所知的年代最早的陶甑，其年代为公元前4000 年上下。从目前的发现看，新石器时代的陶釜、陶甑出土地点多集中在黄河中游和长江中游地区，这似乎表明华中地区史前居民对粥、饭的比重，可能要大大超过其他地区。值得提到的是，蒸法是东方烹饪术所特有的技法，它的创立已有不下 6000 年的历史。西方古时烹饪无蒸法，直到当今，欧洲人也极少使用蒸法。

在史前时代火食普及过程中起过重要作用的陶器，不只是釜、甑之类，还有陶鼎。陶鼎也是一种兼作食器的重要炊具。黄河中下游地区在7000 年前，对原始陶鼎的使用已相当普遍，几个最早的农耕文化共同体都以鼎类器为饮食器，且鼎的造型和制法都有惊人的相似之处。鼎是一种三足器，使用比较方便，比起圆底的釜更为实用。

新石器时代的炊具，还有炉和灶。炉以陶土塑成，与陶器一样入窑烧成。仰韶文化和龙山文化居民比较喜爱用陶炉烹饪，陶炉是活动的灶，机动性较大。火灶为固定建筑，其重要性远在陶炉之上。生活在关中地区的仰韶文化居民，已经有了稳固的定居传统，一座座简陋的房屋聚合成村落，人们按一定的社会和家族规范生活在其间。这些或大或小的住所，既是卧室兼餐厅，同时又是厨房，没有更多的设备，但几乎无一例外的是，每一居室都有一座灶坑，再就是不多的几件陶器。

新石器时代的火灶多为凹下地面的灶坑，或者称为火塘。火塘在中原地区沿用到青铜时代，不过那时高台火灶已经出现，烹饪设备又有了改进。高台火灶的使用至今已有 2000 多年的历史了，尽管燃料有柴草、煤块、天然气这些品种的改变，灶台变化却并不很大，而且至今使用最广的仍然还是柴灶。

火的创造和陶器的发明，使得烹调技术得到极大的发展。烹饪改变了食物的内部结构，以至于食物容易咀嚼；改变了食物的腥臊味道，使食物更具营养，更容易消化吸收；烹饪破坏了一些食物中的毒素，把一些有毒的食物变得可以食用。烹调技术的革命是第一次科学的革命，烹饪使饮食具有社会性，因为用火使食用熟食成为食客们在固定时间和地点进行的一项活动。可以推测，在此之前，很少有什么事情可以促使人们在一起吃饭。搜寻到的食物可以当场吃掉，或者随意什么时候独自享用。尽管可以想象原始人围着未加工的动物尸体欢宴的情景，如同一群美洲兀鹰围着一堆骨头，但在烹饪出现以前，餐食没有成为社会的催化剂。然而，当火和食物结合在一起后，几乎是不可抗拒地成了社会生活的中心，饮食以其特有的方式成为一项社会活动，烹饪附加在食物上的价值，提升了它在营养之外的地位。

第二节　食物的发展

由于农业的发展、火食的革命，中国饮食到先秦之后已有很大的发展，表现在食物原料方面，便是丰富多样、五彩缤纷。蔬菜、水果的栽

粮食的营养与保健

培，家禽的养殖，发展尤为迅速。

一、先秦两汉时期

中国饮食到了先秦两汉时期有了很大的发展，主要有以下特点：

1. 首先表现为粮食作物已成为日常食源

作为粮食作物的五谷已备，除了此前已得到广泛种植的稷、黍外，麦、粱、稻、菽、菰已在人们日常食物中占有较大比重。在最早的农书《夏小正》中，已记载种植有麦、黍、菽、麻。

2. 蔬菜、水果丰盛

《诗经》、《尔雅》和《山海经》中记载最多的陆生蔬菜有：濮瓜、韭菜、苦瓜、蓴（蔓青）、菖（小萝卜）、荼（《尔雅·释草》载："荼，苦菜。"为野生蔬菜）、荠菜、豌豆苗、藿（前人都注为大豆的嫩叶）、蕨、竹笋、枸杞等；水生蔬菜有蒲（指香蒲）、莲藕、水芹（《吕氏春秋·本味》载："菜之美者，云梦之芹。"先秦的芹，是后世的水芹）、水藻、蓴（即莼，chún）菜、苹（指四叶菜）、冬葵、荆葵、菟葵、水葵、荸荠、菱角；调味蔬菜有韭、山葱、荞头（指荞麦头）、蒜（《夏小正》载："十有二月，纳卵蒜。"先秦时，人们吃的蒜应是小蒜、山蒜）、紫苏及秦椒（指辣椒）、薑（姜）、芥等，此外还有采集的各种野生菌类，如木耳、石耳等。

《山海经》记载的水果有：海棠、沙果、棠梨、桃、李、杏、梅、枣、柤（柤 zhā，指山楂）、板栗、橘、柚，《诗经》中除以上水果外，还有桑葚、木瓜、枳。西汉时张骞通使西域，从西方传入了蒲桃（指葡萄）、胡桃、无花果、石榴、西瓜、哈密瓜等。而江南还有甘蔗、荔枝、龙眼、槟榔、橄榄、香蕉、椰子等。后世一些常见的水果，此时已初具种类。

3. 动物类食物在饮食中的地位日渐重要

动物类食物主要靠畜牧和狩猎获得。在甲骨文记载中，就有马厩，而殷代对畜养的马、牛、犬等分类很细，并有役使、祭祀和食用的各种区别。商代后期的妇好墓出土的玉雕动物中有马、牛、羊、狗、猴、兔、龟、鹅、鸭、鸽等逼真造型的家养畜禽，说明早在3000多年前家畜家禽就已定向驯养了（"妇好墓"在河南安阳西郊小屯村北。即中国商代第23世王武丁的配偶妇好之墓。于 1976 年发掘，是唯一能与甲骨文相印证而确定年代与墓主身份的商王室成员墓。出土的随葬品，反映了武丁时期的文化艺术成就，对研究当时的社会经济也有重要价值）。《周礼》中记载中原贵族驯养食用的禽畜有野猪、野兔、麋鹿、麝及雁、鹌鹑、野鹅等。到了汉代，汉族地区畜养牛羊数目达一两百头的农家大量出现，而一般百姓逢年过节都要杀牛宰羊，大摆宴席。

4. 捕鱼业也有很大发展

据专家鉴定，殷墟出土的就有鲻（鲻 zī）鱼、黄颡鱼、鲤鱼、青鱼、草鱼、赤眼鳟等。而池塘养鱼也得到了很大的发展。

5. 各种调料被发现和利用

随着肉类食物的增多，动物脂膏也被食用。先秦时人们已食用动物脂肪，到周秦两汉时油脂已被广泛食用。两汉时，已普遍开始食用植物油，当时除麻籽油（指火麻油）、菜子油，还有胡麻油、大豆油等。同时各种调料的发现和利用，为烹饪的发展作出了重大贡献。这一时期的自然调味品有盐、梅子、蜜、姜。人工调料有醯（醯 xī，醋的旧称）、酒、酱、醢（醢 hǎi，用肉、鱼等制成的酱）等。

二、魏晋南北朝时期

魏晋南北朝时期的食物原料，主要记载于《齐民要术》中。这一时期粮食作物的品种有了极大丰富，如当时小米就有 38 种，大米有 13 种，糯米有 11 种，芋芳有 14 种，并培植出了甘薯（山药）。蔬菜有地芝（指冬瓜）、瓠瓜、莲藕、芡实、菱角、荸荠、茄子、豆角、萝卜、蔓青、豌豆苗、芸豆苔、芥菜、芹菜、苦麦菜、蒿菜、苋菜、鹿角菜（指龙须菜）、泽蒜（指蒜薹）、大蒜、葱、胡荽、韭菜、紫苏、姜、竹荀、筱（筱 xiǎo，指竹荪）、蘧蔬（蘧 qú，茭白的最早别名）、木耳、石涾（指石耳）、花椒、胡椒、橘皮等，水果有桃、李、杏、梅、枣、栗、奈、柿、梨、沙果、桑葚、木瓜、石榴、葡萄、樱桃、杨梅、草莓、枸橼、豆蔻、蕉等。

唐代刘恂的《岭表录异》一书中记录了唐代当时南方的饮食原料，其中以水产类最为丰富，有鲻鱼、嘉鱼、鲎（鲎 hòu）鱼、黄腊鱼、竹鱼、鲩（鲩 huàn）鱼、章鱼、鲵（鲵 ní）鱼、乌贼鱼、石头鱼、比目鱼、鸡

粮食的营养与保健

子鱼、鹿子鱼、狗瞌睡鱼（鲳鱼的别名）、蚝、水母、瓦屋子（蚶的别名）及各种蛤类、蚌类、蟹类、虾类等数十种。禽鸟类则有鸮（鸮 xiāo，俗称猫头鹰）、孔雀、鹧鸪等。果类食物有偏核桃、石栗、龙眼、枸橼子、椰子、山姜等。

三、两宋至元明清时期

两宋一直到元明清时，可以说是中国饮食原料结构的较大变化期，这种变化，首先主要表现为主要原料的不断增减和更替，比如延续了近两千年、在人们饮食中占有重要地位的菰米，在宋代时逐渐减少，明清已完全淘汰，而小麦、小米、高粱的比例不断增加，成为北方地区的主要粮食作物。麻籽逐渐由全食变成了油料，大豆、绿豆、扁豆、豌豆等豆类作物，随着豆制品的发展，成为主副兼用的粮食。其次是人工培育的蔬菜瓜果日渐增多，而食用野菜种类日渐减少。同时数百年来陆续从域外引进的玉米、甘薯、甘蓝、菜花、丝瓜、黄瓜、苦瓜、南瓜、辣椒等，大大地丰富了中国饮食的原料和味道。

此外，肉类原料中，在此之前的野禽野兽已逐渐被家禽所代替。这时花卉类原料也进入饮食原料的行列，参与了饮食物的制作，各种花卉可以入茶、酿酒，如茉莉、玫瑰、芍药、蔷薇、茱萸、玉兰、菊花、金银花、桂花、腊梅花、百合花、桃花等。花卉还可以用来制作各类糕饼饭粥、制酱，美味佳肴，甚至可以直接食用。

总之，中国饮食的广采博纳精神，使得历代人们不辞劳苦地去探求。各种食物原料，使其得到了极大的丰富和扩展，而食物原料的丰富和扩展，又为中国饮食的五彩纷呈提供了必要的前提条件。

第三节　食物的引进

由于生产力的发展，科学的进步，内外交通日益发达，特别是汉代张骞、班超先后出使西域，打通丝绸之路，使西域的药材、果蔬等不断输入内地，唐宋之后海路交通日趋发达，文化交流日渐频繁，外来药材及果蔬等的引进不断增加，从而不断丰富着餐桌上的食物内容。

历史上对于引进的作物，多以引进的来源命名，长期积累下来，会看出一些大体的规律。

一、唐朝以前引进的食物

唐朝以前引进的食物，多冠以"胡"字。即带有"胡字"的食物大多为两汉至两晋时期由西北少数民族地区引入的，如小麦、大麦、回回豆、胡豆、胡麻、胡荽、茴香、胡蒜、胡菜、胡瓜、胡桃、安石榴、葡萄等。此外，还有芹菜、莴笋、无花果、椰子等。

（1）小麦：又名白麦、淮小麦，起源于冬春雨雪丰沛的西亚地区，是由西部民族传入中原，在我国已有 5000 多年的种植历史。这在古文献中也有记载，如成书于战国时代的《穆天子传》记述周穆王西游时，新疆、青海一带部落馈赠的食品中就有麦。研磨小麦而制成的"胡饼"、"水饺"等面食，也是西北首开先河，它改变了"麦饭"不好消化的难题。

（2）大麦：又名稞麦、牟麦、饭麦，为禾本科植物大麦属大麦的果实，是人类栽培最古老的粮食作物之一。中国栽培大麦的祖本在青藏高原，据考证，早在新石器中期，古羌族（居住在青海）就已在黄河上游开始栽培大麦，距今已有 5000 多年的历史。

（3）回回豆：即豌豆，又名毕豆、冬豆、雪豆、寒豆、荷兰豆等，为豆科豌豆属一年生草本植物豌豆的种子。豌豆起源于埃塞俄比亚、地中海沿岸和中亚地区。豌豆由原产地向东首先传入印度北部，经中亚传到中国。据说是汉代张骞出使西域得豌豆种，已有 2000 多年的栽培历史。《本草纲目》云："其苗柔弱宛宛，故得豌名。"

（4）胡豆：即蚕豆，又名南豆、夏豆、佛豆、仙豆、罗汉豆等。因其豆荚状如老蚕，又成熟于养蚕时节，故取名为蚕豆。为豆科巢菜属一年生或越年生草本植物蚕豆的种子。原产里海南部至非洲北部。据《太平御览》记载，蚕豆是张骞出使西域时带回豆种，才在我国开始种植的，故名胡豆。

（5）胡麻：即芝麻、白麻、脂麻，为胡麻科一年生草本植物脂麻的种子，有黑白之分。一般认为源于南部非洲热带草原或印度，因从胡地传入故称"胡麻"，因是油料作物，又称"油麻"或"脂麻"。而"芝麻"是"脂麻"之音讹，后来竟成为约定俗成的名称。相传是西汉张骞通西域时引进的。然而芝麻早已在西部地区种植，如新疆吐鲁番盆地西缘阿拉沟原始社会墓地（距今2800～2200年），即曾出土过胡麻籽壳。

（6）胡荽：即芫荽、香菜、香荽，学名西洋芫荽，为伞形科芫荽属一年或二年生草本植物芫荽的全株。原产于地中海沿岸及中亚地区，因出"胡人"之地，而称之胡荽，为汉代张骞从西域引进，在我国已有2000多年的栽培历史。

（7）茴香：又名怀香、香丝菜，为伞形科茴香属多年生草本植物茴香的全草。原产于地中海，后传入我国新疆安原县，从汉代开始传入中原，在我国种植近2000年，现主产于甘肃、山西、山东、内蒙古等省区。

（8）胡蒜：即现在的大蒜，为百合科二年生草本植物大蒜的鳞茎。大蒜原产于欧洲南部和中亚。自汉代张骞出使西域，把大蒜带回我国栽培，至今已有2000多年的历史。《食物本草》载："今人谓葫为大蒜，张骞使西域始得大蒜，大蒜出胡地故有胡名"。

（9）胡菜：即油菜，又名芸苔、寒菜，为十字花科芸苔属一年生或越年生草本植物油菜的嫩茎叶。我国古代胡菜称芸薹，东汉服虔（qián）著《通俗文》记载"芸薹谓之胡菜"。最早种植在当时的"胡、羌、陇、氏"等地，即现在的青海、甘肃、新疆、内蒙古一带，其后逐步在黄河流域发展，以后传播到长江流域一带广为种植。一开始它被当作菜吃，从唐代开始才有"榨油"的记载，宋代方更名"油菜"。

（10）胡瓜：即黄瓜，原产印度，为葫芦科植物黄瓜的果实。张骞出使西域时带回中国，当时称之为胡瓜。李时珍说："张骞使西域得种，故名胡瓜。"胡瓜更名为黄瓜，始于后赵。东晋时，后赵王朝的建立者石勒，本是入塞的羯族人。他在襄国（今河北邢台）登基做皇帝后，他不满汉人把北方少数民族称为"胡人"，为避讳"胡"字，便改名为黄瓜。

（11）胡桃：又名核桃、万岁子、益智果、长寿果，为胡桃科胡桃属落叶乔木植物核桃的干果。核桃的故乡是亚洲西部的伊朗，公元前10世纪传往亚洲西部地中海沿岸国家及印度。西汉时由博望侯张骞从西域带回我国。公元前3世纪张华著的《博物志》一书中，就有"张骞使西域，得还胡桃种"的记载。

（12）安石榴：即石榴，又名海石榴、若榴、丹若，为石榴科多年生落叶灌木或小乔木植物石榴的果实。原产伊朗及阿富汗等中亚地带，即古代的安息国，故名安石榴。西汉张骞出使西域，得种而归，栽植中原，栽培历史近2000年。现在我国南北各地除极寒地区外，均有栽培分布。

（13）葡萄：古代称蒲陶、蒲桃，为葡萄科多年生落叶藤本植物葡萄的成熟果实。葡萄主要指欧洲葡萄，也叫欧亚种葡萄，是由起源于欧洲中南部和北非、西亚的森林葡萄，经过长期的自然和人工选择进化来的。据考古资料显示，最早栽培葡萄的地区是小亚西亚里海和黑海之间及其南岸地区。葡萄约在公元前1~2世纪间传入中国，据说是汉朝张骞出使西域时由中亚经丝绸之路带入我国的，故我国葡萄的栽种历史已有2000多年。葡萄在传入中原以前，早就在新疆安家了，司马迁《史记·大宛列传》中记载："宛左右以蒲陶为酒，富人藏酒至万余石，久者数十岁不败。"

二、唐朝至明朝引进的食物

唐朝以后引进的食物多冠以"番"字，即带有"番"字的食物大多为南宋至元明时期由"番舶"（外国船只）带入的。如玉米、番薯、番茄、番椒、番石榴、番木瓜、波斯菜、番萝卜、苹果、巴旦杏、凤梨、菠萝蜜、西瓜等。此外，还有丝瓜、南瓜、苦瓜、芸豆、开心果、哈密瓜、香瓜等。

（1）玉米：又名苞米、苞谷、玉蜀黍、珍珠米、玉麦等。为禾本科植物玉米属玉蜀黍的子粒，原产于南美洲。7000年前美洲的印第安人就已经开始种植玉米。相传16世纪初由朝圣的教徒从麦加经中亚把一批种子带到了新疆，又传到华北，继而传遍中国各地，即中国栽培玉米仅有400多年。

（2）番薯：即地瓜、红薯、白薯，又名金薯、红山药、土瓜等。为旋花科甘薯属一年生或多年生藤本植物甘薯的块茎。起源于墨西哥以及从哥伦比亚、厄瓜多尔到秘鲁一带的热带美洲，已有8000~10000年的栽培历史。番薯最初引入我国是在16世纪中期明朝万历年间，当时福建华侨陈振龙常到吕宋（现今菲律宾）经商，带回几斤番薯藤移植，逐渐在我国传布开来。

（3）番茄：即西红柿、洋柿子、西番柿，原名叫狼桃。为茄科番茄亚属植物西红柿的果实。西红柿起源中心是南美洲的安第斯山地带，在南美洲已有 2000 多年历史。明代传入中国，是从欧洲或东南亚传入的。由于西红柿有特殊味道，当时仅作观赏栽培。成书于 1621 年的《群芳谱》载："番柿，一名六月柿，茎如蒿，高四五尺，叶如艾，花似榴，一枝结五实或三四实，一数二三十实。缚作架，最堪观。来自西番，故名。"

（4）番椒：即辣椒、辣子，又名海椒、秦椒、红海椒等。为茄科辣椒属一年生或多年生草本植物辣椒的果实。原产于中南美洲热带地区，以墨西哥最为盛产，于明代传入中国，中国栽培辣椒已有 400 多年。今中国各地普遍栽培，尤其是湖南、四川。

（5）番石榴：又名芭乐、拔子、鸡矢果、鸡屎拔、黄肚子，为桃金娘科番石榴属常绿小乔木或灌木植物番石榴的果实。原产美洲热带，约 17 世纪末传入我国，现台湾、广东、广西、福建、江西等省均有栽培，有的地方已逸为野生果树。

（6）番木瓜：又名番瓜、乳瓜、乳果、万寿果，为番木瓜科番木瓜属常绿大型草本植物番木瓜的果实，原产于墨西哥南部以及邻近的美洲中部地区。番木瓜传入中国，最晚也应该在 12 世纪初，最早可能推至唐代。我国主要分布在广东、海南、广西、云南、福建、台湾等省（区）。

（7）波斯菜：即菠菜，又名菠棱、波棱菜、赤根菜、角菜等，为藜科一年生或二年生草本植物菠菜的带根全草。菠菜原产于伊朗，7 世纪初传入中国，在唐代开始栽种。《唐会要》载：菠菜种子是唐太宗贞观二年由尼波罗国作为贡品传入中国的，最初叫波棱菜，后简称菠菜。

（8）番萝卜：即胡萝卜，又名丁香萝卜、葫芦菔等，为伞形科胡萝卜属二年生草本植物胡萝卜的肉质根。原产亚洲西部，阿富汗为紫色胡萝卜最早演化中心，栽培历史在 2000 年以上。胡萝卜于公元 13 世纪元代末经伊朗传入中国，发展成中国胡萝卜的长根生态型。李时珍说它"元时始自胡地来"。

（9）苹果：是"苹婆"的简称，"苹婆"起初写作"频婆"，而"频婆"又有过"平波"、"平坡"等同音异写，为蔷薇科乔木植物苹果的果实。苹果原产于欧洲和中亚、西亚，最早期的欧洲人已食用苹果，并对之进行了改良和选育，一些品种早见于 2000 多年前，在向美洲殖民前，欧洲已知品种达数百个。我国古代的林檎和奈是现在的沙果并非苹果，真正的苹果是元朝时期从中亚地区传入中国的。

（10）巴旦杏：古称偏桃、偏核桃、婆淡树，现在世界上许多国家称"扁桃"。为蔷薇科扁桃亚属植物扁桃的种仁，起源于中亚细亚。我国种植巴旦杏，从唐朝开始，有 1300 多年的历史，是从古波斯（现今伊朗）传入，主要分布在我国新疆的准噶尔盆地西部山地、阿尔泰山山区。

（11）凤梨：即菠萝，又名王梨、黄梨、番梨，为凤梨科多年生常绿草本植物菠萝的果实。原产地为南美洲的巴西，很早就为印第安人驯育，并从中选出无种子的优良食用品种。公元 1605 年，葡萄牙传教士将菠萝苗由南美洲传到中国澳门再传入海南岛，17 世纪初传到福建和台湾及亚洲地带，并流传到世界各地。

（12）菠萝蜜：又名木菠萝、树菠萝，古称阿萨，隋唐时从印度传入中国，称为"频那挲"（梵文 Panasa 对音），宋代改称菠萝蜜，沿用至今。为桑科桂木属常绿乔木植物菠萝蜜的果实，原产于热带亚洲的印度，在热带潮湿地区广泛栽培。现在盛产于中国、印度、中南半岛、南洋群岛、孟加拉国和巴西等地。我国在岭南的海南、广东、广西和云南东南部均有栽培。

（13）西瓜：又名寒瓜、水瓜、夏瓜，为葫芦科西瓜属一年生蔓生草本植物西瓜的果实，起源于非洲南部的卡拉哈里沙漠。西瓜由埃及传入我国已有 1100 多年了，因由西域引种而来，故名西瓜。据宋朝欧阳修撰《新五代史·四夷附录第二》记载，"……有同州郃阳县令胡峤为翰掌书记，随入契丹。……遂入平川，多草木，始食西瓜，云契丹破回纥得此种，以牛粪覆棚而种，大如中国冬瓜而味甘"。

三、清代引进的食物

清代时从海路传入的食物多用"洋"字，即带有"洋"字的食物大多由清代乃至近代引入的。如洋葱、洋芋、洋姜、洋白菜。此外，还有芦笋、西葫芦、四棱豆、花椰菜、青花菜、人心果、腰果、芒果、白兰瓜等。

（1）洋葱：即圆葱、葱头、胡葱、玉葱，为百合科葱属二年生草本植物洋葱的肉质鳞茎，起源于中西亚，作为蔬菜已有5000年的历史，古埃及早在公元前3200年已食用洋葱。洋葱约在20世纪初传入中国，现在中国各地均有种植。

（2）洋芋：我国云南、贵州一带称芋或洋山芋，广西叫番鬼慈薯，山西叫山药蛋，东北各省多称土豆，世界通用的学名——马铃薯。为茄科植物马铃薯的块茎，起源于秘鲁和玻利维亚的安第斯山区，为印第安人驯化，有8000年的栽培历史。1650年传入我国，现在我国各地普遍种植，尤以东北产量多而质量优。

（3）洋姜：学名菊芋，又名菊姜、鬼子姜，为菊科向日葵属一年生草本植物菊芋的地下块茎，原产北美洲，17世纪传入欧洲，后传入中国。分布在华北、华东、华南、华中等地。

（4）洋白菜：又名卷心菜、包心菜、圆白菜，为十字花科芸苔属一年生或二年生草本植物甘蓝的变种。起源于地中海至北海沿岸，由野生甘蓝演化而来。中国种植的洋白菜系16世纪中叶后通过陆路由俄国从北方，和通过海路由欧洲从东南沿海传入。吴其濬在《植物名实图考》中有称洋白菜为"葵花白菜"的记载。

第四节　五谷的概念与驯化

一、五谷的概念

"五谷"之说出现于春秋战国时期，最早记录见于《论语·微子》"四体不勤，五谷不分，孰为夫子？"但历代对"五谷"的解释不一，如"黍稷菽麦稻"（《周礼·职方氏》郑玄注、《淮南子》高诱注）、"麻黍稷麦豆"（《周礼·天官·疾医》郑玄注）、"禾麻黍麦豆"（新莽始建国元年铜方斗五谷图）、"稻稷麦豆麻"（《楚辞·大招》王逸注）、"稻黍稷麦菽"

（《孟子·滕文公上》赵岐注）等。我们现在能够看到的最早对"五谷"的解释，皆是汉代人的解释。汉代和汉以后的人解释"五谷"主要有两种：一说是黍、稷、麦、菽、稻；一说是黍、稷、麦、菽、麻。这二种说法的主要区别在于稻、麻的有无，两种说法结合起来，就得出了麻、稻、黍、稷、麦、菽6种作物。

1. 麻

"五谷"中的"麻"有大麻、苎麻、苘麻等几种。

大麻又称火麻，雌雄异株。雌麻的子粒可以食用，直到汉代大麻的子粒还经常被当做粮食。雄麻的纤维细柔，原始先民可能是在采集雌麻子粒的过程中，发现雄麻纤维可做纺织原料。

苎麻是中国的特产，也称白叶苎麻，有"中国革"之称。苎麻大约与大麻同时被种植，苎麻的子粒也可以食用。我国在新石器时代已开始使用苎麻纤维进行纺织，周秦汉唐，苎麻一直是黄河流域和长江流域的主要麻类纤维之一。

苘麻又称青麻，苘麻一般用作船舶和养殖海带用绳索的原料和织麻袋，但古代亦用于制作较粗糙的布。此外，苘麻的子粒也可以食用。

麻类的子粒虽然可供食用，但是主要是用它的纤维来织布，五谷指的是粮食，前一种说法没有把麻包括在"五谷"里面，比较合理。但是从另一方面来说，当时的经济文化中心在北方，稻是南方作物，北方栽培的有限，所以"五谷"中有麻而没有稻，也有可能。然而"五谷"之说之所以盛行，显然是受到五行思想的影响。

2. 稷

"五谷"中的"稷"经现代考证应该为"粟"。稷是中国古代重要的粮食作物，曾经被称为"五谷之长"。但稷是什么作物，却在学术界争论了1000多年。在汉魏学者看来，稷就是粟，毫无疑问、不称其为问题。但自南朝陶弘景提出稷可能是"穄"，而唐代苏敬加以肯定以来，这种错误的认识逐渐蔓延，一度成为主流观点，引起极大的混乱。近世不少学者从不同角度反复论证稷之为粟，同时考古发现也提供了新的证据，现在看来稷即是粟，已是确定无疑了。

至于"穄"最早记载见于《穆天子传》和《吕氏春秋》等。在《管

粮食的营养与保健

子·地员》中载有各种作物的品种，据夏纬瑛的《管子地员篇校释》，其中粟类品种有 12 个，黍类品种有 10 个；在 10 个黍类品种中，"稷"的品种只占两个，这从一个侧面反映出当时中原地区种植稷是不多的。倒是在西北边远地区稷的种植较多。《穆天子传》载周穆王西征时，青海、新疆一带的部落往往以"稷麦"或"稷米"为献。《吕氏春秋·本味》列举的"饭之美者"，有"阳山之稷"。高诱注："山南曰阳，崑苍之南，故曰阳山。"可见"阳山之稷"是西北的一种地方名产。《说文》和《仓颉篇》虽然提到稷，但汉代主要农书《氾胜之书》、《四民月令》都没有稷的记载。可见，稷主要产于汉代的西北边郡和少数民族地区，根本不可能跻身到中原主要谷物的行列。魏晋南北朝时代，中原地区陷于战乱，大批土地抛荒，黍稷适于在荒地上种植，加上有食稷习惯的北方游牧民族的南下，黍稷的地位有所回升，所以《齐民要术》有黍稷专篇。但在《齐民要术》中，"黍稷"篇列在"种谷"篇之后；"种谷"篇记载粟的品种达 107 个之多，"黍稷"篇关于稷的品种只有引述《广志》的五种，不成比例。所以即使是在魏晋南北朝的特殊条件下，稷仍是远逊于粟的次要粮食作物。

唐宋的一些学者虽然误以稷为稷，但仍然明确指出稷主要产地不在中原。如唐朝陈藏器说："稷、稷一物也，塞北最多。"宋朝罗愿《尔雅翼》也指出稷"大抵塞北最多"。而且从陶弘景到苏颂，这些本草学家都知道稷的食用价值不高，"食之不宜人，言发宿病"。既然如此，稷怎么能成为中原人民的主食呢？怎么能与作为中原"五谷之长"的"稷"为同一种作物呢？

从实物考证看，我国历史上稷的主要产地是西部、北部边郡和北方少数民族活动地区，这和稷的现代分布状况是一致的。《中国黍稷》一书，虽然也误把稷当成"稷"，但书中描述的黍"稷"（稷）分布却为我们研究历史上稷的种植提供了很好的参照材料。该书指出：黍"稷"（稷）的主产区是北方的内蒙古、陕西、甘肃、山西、宁夏、黑龙江等省的半干旱地区。黍"稷"（稷）的粳糯型分布也较有规律：东北平原、华北平原、南方广大产区糯型（按即黍）占优势。西北地区以粳型（按即稷）为主。就主产区东北、华北、西北各省（区）而言，自东向西糯型比重逐渐降低，粳型比重逐渐增高。这个趋势，似乎与降水量有关。这表明，今日粳型的黍、稷（穄）主要也是分布在西部地区，在华北平原是极少种植的。而谷子则以华北平原为主要产区。可见，无论历史上还是今天，"穄"均以西部边远地区为主要分布区，根本不可能成为中原地区的"五谷之长"。作为古代"五谷之长"的稷，只能是"粟"，而不可能是"穄"。

3. 黍

黍、穄均为禾本科黍属一年生草本植物。黍的茎秆上有毛、散穗，子粒发黏，习惯上叫黍子、黄黍、黏糜子，其子粒脱壳后，称大黄米。穄的茎秆无毛、散穗，子粒不黏，习惯上叫糜子、糜稷，其子粒脱壳后，称硬黄米。

农学界多认为高粱的原产地在非洲，13世纪前即经印度传入中国西部的四川。我国文献记载直到晋代才有"蜀黍"一名，唐代才有高粱的名称。因此，过去很多学者都认为我国的高粱是魏晋时期才从国外引进的。但是，解放后在辽宁辽阳三道壕、陕西西安市郊、河南洛阳烧沟等地西汉村落、墓葬中发现了高粱子粒，在河北石家庄市庄村发现了战国时期的高粱。从考古发掘的实物来看，五千年前古代先民在黄河流域就已经培育出高粱。然而高粱不但从未进入"五谷"之列，并且一些古代学者对"粱"字的解释都是"好粟也"，意思是品质好的小米，并不是指的高粱。据说高粱因其子实很像"粱"（粟的别称），长得又高大，故称为高粱。高粱虽然具有很好的适应性，但13世纪以前，并无大的发展，13世纪后也主要在北方地区种植。高粱虽然也充当口粮，但主要用于救荒，其次就是制糖、酿酒、做苔帚。且被视为"粗稼"（粗粮），这也可能是高粱从未进入"五谷"之列的原因吧。

根据考古发掘资料，新石器时代的人们已经种植麻、黍、稷、麦、豆、稻等粮食作物。大体上黄河流域以黍、稷、麦、豆、麻等耐旱作物为主，长江流域以水稻等耐涝作物为主，它们都有8000年以上的栽培历史。实际上所谓"五谷"只不过是几种主要粮食作物的泛称而已。五谷的概念形成之后虽然相沿了2000多年，但随着社会经济和农业生产的发展，五谷的概念也在不断演变着。

五谷中的黍、稷（粟）由于具有耐旱、耐贫瘠、生长期短等特性，因而在北方旱地原始栽培情况下占有特别重要的地位。在上古开始出现农业

粮食的营养与保健

时，最先受到重视和栽培化的作物可能是稷（粟），先人们把它当作图腾来崇拜。《尔雅翼》说，"稷为五谷之长，故陶唐之世，名农官为后稷……"又有书说，"人非土不立，非谷不食"。所以古代的"王者"，"封土立社示有尊"，"立稷而祭也"，目的是"为天下求福报功"（《白虎通义·社稷》）。五谷与土地是密不可分的，故把社与稷合起来祭奉，作为国家每年重大典礼活动之一。社稷二字后来就成了国家的代称。

4. 菽

菽即大豆，我国许多古书曾称大豆为菽，秦汉以后就以大豆代替了。大豆原产于我国，已有四千七百多年的种植历史了。大约在 19 世纪后期大豆才从我国传至欧美。大豆按种植季节分为春大豆、夏大豆、秋大豆和冬大豆四类，在我国有广泛的种植。

至春秋、战国时期，菽所具有的"保岁易为"特征被人发现，菽也与黍、稷一道成了当时人们不可缺少的粮食。

5. 小麦

小麦起源于西亚，大约距今五千年前进入中国，并经历了一个由西向东、由北向南的扩张过程，直到宋朝以后才基本上完成了在中国的定位。在漫长的岁月里，小麦逐渐适应了中国的风土人情，成为外来作物最成功的一个，并改变了中国人的饮食习惯。

人们发现宿麦（小麦）能利用晚秋和早春的生长季节进行种植，并能起到解决青黄不接的作用，加上这时发明了石圆磨，麦子的食用从粒食发展到面食，适口性大大提高，使麦子受到了人们普遍的重视，从而发展成为主要的粮食作物之一，并与粟相提并论。

6. 水稻

西汉时期的农学家赵过和氾胜之等都曾致力于在关中地区推广小麦种植。汉代关中人口的增加与麦作物的发展有着密切的关系。直到唐宋以前，北方的人口都多于南方。但唐宋以后，情况发生了变化。中国人口的增长主要集中于东南地区，这正是秦汉以来被称为"地广人稀"的楚越之地。宋代南方人口已超过北方，有人估计是 6∶4。此后至今一直是南方人口密度远大于北方。南方人口的增加是与水稻生产分不开的。水稻很适合于雨量充沛的南方地区种植，但最初并不起眼，甚至被排除在五谷之外，

第一章　食物的起源与发展

然而却后来居上。唐宋以后，水稻在全国粮食供应中的地位日益提高，据明代宋应星的估计，当时在粮食供应中，水稻占 7/10，居绝对优势，大麦、小麦、黍、稷等粮食作物，合在一起，只占 3/10 的比重，已退居次要地位；大豆已退出粮食作物的范畴，只作为油料作物来利用了。故后来人们对"五谷"的解释，不但有了稻，而且排在了"五谷"之首。

当麦、稻的地位节节攀升的时候，其他一些作物却纷纷退出粮食作物行列。比如麻在中国栽培比麦子还早，一度是重要的粮食之一，也因此称为"谷"。从《诗经》"禾麻菽麦"这样的排序来看，它的地位仅次于禾（粟），而居菽、麦之上。然而，麻却在很早的时候就开始退出谷物的行列。九谷、六谷中还必有麻，五谷中已是可有可无，到四谷时就已排不上它了。虽然后世一些农书，如《氾胜之书》、《四民月令》、《齐民要术》、《四时纂要》等，提到了麻的栽培，部分原因是因为麻是一种重要的纤维作物。可是到了明代时，人们已不知五谷中的麻为何物，宋应星认为五谷之麻，要么是消失了，要么就是大豆或小米的另一种称呼，可能是名字搞错了。再如九谷或六谷中的菰（又称雕胡、菰米）是一种水生植物所结的子粒，这种水生植物就是现在所说的茭白。到五谷或四谷时已不见其踪影，特别到了宋代以后，人们只知有作蔬菜食用的茭白，不知有作主食的菰米，成了"被遗忘的谷物"。

在一些作物退出粮食作物的行列时，一些作物又加入到了粮食作物的行列，明代末年，玉米、甘薯、马铃薯相继传入中国，并成为现代中国主要粮食作物的重要组成部分。现在通常说的五谷杂粮，是指稻、谷、麦子、玉米、大豆、高粱，而习惯地将米和面粉以外的粮食称作杂粮，所以五谷杂粮也泛指各式各样能当粮食的作物。

总而言之，在农业发明之初，作物很少分类，一种植物因有多个品种，故有"百谷"之称。随着植物的分类逐渐明确，又出现了"九谷"、"八谷"、"六谷"、"五谷"、"四谷"的说法，其中，"五谷"最为流行。但无论是五谷、六谷乃至八谷、九谷之分，其包含的内容并不一定，如周代《大戴礼》中的"五谷"指黍、稷、麻、麦、菽；明朝《本草纲目》中的"八谷"指黍、稷、稻、粱、禾、麻、菽、麦；而清朝程瑶田的《九谷考》则包括粱、黍、稷、稻、麦、大小豆、麻、菰等。一般而言，中国古代主要的粮食作物大概有粟、黍、稻、麦、豆、高粱、麻。

二、五谷的驯化

原始农业是原始采集经济发展到一定时期的产物。在采集经济时代，原始人靠采集野生植物的芽叶、果实或地下根茎为生。大约在旧石器时代末期，在人口增加、气候变化和生态环境趋于恶化的情况下，人们开始模仿野生植物的生长过程，尝试种植，逐渐将野生植物变为栽培作物，成为真正的农作物，农业也就正式产生。它标志着一个新时代的诞生，这就是考古学上的新石器时代。

目前考古发现的农作物都是新石器时代的产物，主要是粮食作物，其次是瓜果蔬菜和其他经济作物。粮食作物多为炭化子粒，瓜果蔬菜多为果核和子粒，也有少量保存较完整的果实出土。这些出土物多数是栽培作物的遗存，为探索它们最早栽培的年代提供了直接证据，对研究作物的起源有着非常重要的价值。

1. 粟的栽培与驯化

"粟"在植物分类上属禾本科的"狗尾草属"（Setaria），栽培粟的学名是 Setaria italica。其名称有：禾、粟、稷、谷、粱、粢、秫（黏粟）、苣（白苗粟）、穄等。粟的别名称"粱"，意为"好粟"。粟去壳之后称小米，因小米有黄、淡黄、青等各种颜色，故按颜色又称为黄粱、青粱、白粱。成语有"一枕黄粱"和"黄粱美梦"。

粟是从狗尾草驯化而成的，在自然有意识地播种过程中，人们就会发现狗尾草的天然变异现象，而从中选择穗大、苗壮的进行特殊培育，使它形成新的优良遗传性，再使它稳定；然后通过一代又一代的优中选优，最后作为新的良种推广种植。靠狗尾草的天然变异，采用系统育种法使它彻底脱离野生群，而成为人们喜爱种植的粮食品种——粟，大约经过了一两千年的漫长历程。近代有人通过试验分析：狗尾草的细胞染色体 $2n=18$，粟的染色体也是 $2n=18$。粟与狗尾草杂交比较容易成功，其杂交的后代曾出现育性不完全现象，说明它们之间有很近的亲缘关系。由此可见，中国粟的祖本就是狗尾草。狗尾草在亚洲地区分布很广，中国的黄河流域更是多见。

考古证明中国粟起源于黄河中游的高海拔地区，其驯化基地为陕西关中地区和河南中北部的中原地区。从关中地区、中原地区分别向四面传播。关中地区的远程传播路线，主要是向西面的甘肃、青海、新疆，乃至从青海又传入西藏，继而到达云南。中原地区的远程传播路线主要有两条：一条是通过山东、苏北向东南沿海传播以至抵达中国台湾；另一条是通过冀北向东北方向的蒙东、辽宁、吉林、黑龙江传播。其传播方式是人工携带和自然运载（鸟载、水载）相结合。史前，中国粟已由东向西经阿拉伯、小亚细亚、俄国、奥地利，以至传播到整个欧洲。向东还传到朝鲜。

从考古发掘看，在河南、河北、山东、山西、陕西、辽宁、黑龙江、甘肃、青海、新疆等省区的新石器时代遗址中，先后发现炭化粟粒、粟壳或粟的谷灰达40多处。说明早在原始时代，粟就已成为主要的粮食。最早发现的粟的遗存是20世纪30年代在山西省万荣县荆村瓦渣斜遗址出土的粟壳，其时代为仰韶文化至龙山文化时期。这一发现当时曾引起国外学术界的注意。40年代，陕西省宝鸡市斗鸡台遗址和辽宁省赤峰县蜘蛛山也发现了新石器时代的粟粒。50年代在陕西省华县泉护村和西安半坡村以及甘肃永靖大何庄、兰州白道沟坪，相继发现了粟的遗存，其中以半坡的发现较为重要。在半坡遗址的房屋、窖穴和墓葬中都发现了很多粟的遗存。可见粟在半坡人的生活中占有重要地位。半坡遗址经碳十四测定年代为公元前4800年至前4300年，它证明粟的栽培史可达6000多年。60年代，在陕西省邠县下孟村、河南省洛阳市王湾和甘肃省临夏市马家湾等地也发现了粟的遗存，但其年代没有突破。

真正有重大突破的是1976年至1978年，在河北省武安县磁山遗址2579平方米的面积上发掘出大量灰坑、房址和一些壕沟，发现一批制作规整的农具和粮食作物。这些发现向人们展示了华北新石器时代较早时期的农耕水平。磁山遗址共发现476个灰坑，其中88个灰坑存有粮食。灰坑一般呈长方形，长1~1.5米，宽0.5~0.8米，深1~5米不等。口、底大小基本相同，少数底略大于口。坑壁垂直，有些坑壁面上留有木末痕迹。腐朽的粮食均堆积在窖穴近底部，十分疏松。有些窖穴底部的粮食堆积中有完整的陶盂，可能是装粮食的容器。还有一些窖穴，在粮食堆积的底部整

粮食的营养与保健

齐地摆放着猪、狗等家畜，可能是存放粮食时为举行某种宗教仪式而放入的。还有些窖穴上半部堆积层下常有一层黄色硬土，它与底部粮食堆积之间常有高0.5~0.6米的空隙，这是因粮食腐烂下沉体积缩小而形成的。空隙之上，由于这一层硬结的黄土而使上部堆积未塌落。可见，这些窖穴当年存放粮食之后是用黄土封实盖住的，以后一直未曾动用过。这些腐朽粮食出土时略为潮湿，呈现出绿色，风干后呈灰白色，大部分已成粉末状，质轻疏松。粉灰之中，可以看到清晰的外壳，颗粒完整，外部形态圆隆饱满，直径约2毫米，与现代粟粒基本相同。磁山遗址出土的粮食堆积数量之多是极为罕见的，有人曾推测其可能达到5万斤以上。尽管这一推测会有误差，但磁山遗址出土如此之多的粮食，使得人们对原始农业的生产力水平不得不刮目相看。磁山遗址经碳十四年代测定，为公元前5405±100年和公元前5285±105年。树轮校正后为公元前6005年至前5948年，比半坡遗址早1000多年。这样就把粟的栽培历史推到8000年前，从而有力地证明我国是世界上最早种植粟的国家。

同一时期在河南省的裴李岗文化遗址中也发现了年代相近的粟的遗存。裴李岗文化是以河南省新郑县裴李岗遗址为代表的早于仰韶文化而与磁山文化相当的一种文化遗存，主要分布在河南省境内。出土的农业工具有类似磁山文化的石磨盘、石磨棒、石铲和石镰等，且制作得更为工整。虽然20世纪70年代发掘裴李岗遗址时没有直接发现粮食的遗存，但后来在发现属于裴李岗文化的新郑县沙窝李遗址以及再次发掘裴李岗遗址时，都发现了粟的遗存。说明裴李岗文化时期的主要粮食作物也是粟。沙窝李遗址在第二文化层距地表0.5米深处，发现一片比较密集的粟的炭化颗粒，面积约0.8~1.5平方米。沙窝李遗址经碳十四测定，年代为距今5220±105年（未经树轮校正），可见河南省种植粟的历史也可推到7000多年前。

以上发现多数在黄河中上游地区，似乎表明粟的起源地应该就在这一带。大约经过千年的发展，粟的种植已经扩展到黄河下游。20世纪七八十年代，在山东省胶县三里河、莱阳县于家店、栖霞县杨家圈、广饶县傅家以及滕县北辛等遗址，都发现了距今五六千年的粟的遗存。在胶县三里河遗址的一座1.4米深的窖穴内出土了体积达1立方米多的粟遗存（只剩下粟壳）。这座窖穴占据了屋内将近1/2的面积，因此，这座房屋可能是当时的一座库房。三里河遗址属于大汶口文化晚期，距今 4200～4800 年。而滕县北辛遗址的年代距今约 7000 年左右。可见黄河下游种植粟的历史也经过漫长的岁月。

大约到了商周时代，粟的种植已经传播到遥远的南方，如云南省剑川县海门口，出土了公元前 1150 年的成把粟穗。甚至连海峡对岸的台湾也有粟出土。如台湾省台南市牛稠子头、台中县清水镇牛骂头遗址也发现了距今 3000 年左右的粟粒和粟秆的压痕。商周以后，粟在中原大地的种植已经很普遍，战国至汉代的文献中经常记载粟是主要粮食，如"粟菽多而民足乎食"（《墨子·尚贤》），西汉的农书《氾胜之书》将粟列为五谷之首。在江苏、湖北、湖南、广西等地的西汉墓中都发现用粟随葬，可见长江流域各地也种植粟。河南省洛阳市含嘉仓的发掘证明，粟在粮食作物中的首席地位一直保持到唐代。考古工作者在含嘉仓城中探出 259 座大型粮窖，仅第 160 座窖中就保存有约 25 万斤炭化粟粒，它们绝大部分仍保持颗粒状，由此可见隋唐时期粟的种植已达到非常发达的程度了。宋代以后，粟的"五谷之首"地位才被水稻所取代。

总之，中国粟起源于黄河中游的高海拔地区，中国先民驯化狗尾草的起始时代当定在旧石器时代晚期下川文化时期。中国栽培粟的起始年代定在河北徐水高林村乡南庄头文化时期，保守地讲在距今 10000 年前就已经开始了。

2. 黍的栽培与驯化

黍在植物分类上属禾本科的黍属（Panicum），栽培黍的学名是 Panicum miliaceum。黍的名称有：黍、穄、稷、糜子、秬（黑黍）、秠（一稃二米）。《说文》称："黍，禾属而黏者也，以大暑而种，故谓之黍。"

黍是禾谷作物中最耐旱的植物，生长期短，适宜在黄土高原的沙性土壤中生长，本区现在仍广泛种植。目前学术界认为，栽培黍的野生祖本可能是铺地黍或野糜子，而这两种植物都是现今常见的田间杂草，在我国北方地区到处都有分布。从野生黍驯化为栽培型黍，应有一个比较长的时间，如果把这个过程计算在内的话，则黍在中国栽培的历史至少以 8200 年为基点，可上溯至万年左右。

目前报道的新石器时代的黍遗存只有十几处。经过科学鉴定而年代最

粮食的营养与保健

早的要算甘肃省秦安县大地湾遗址一期文化层中出土的炭化黍粒（经甘肃师范大学植物研究所鉴定，确认其为黍），经碳十四测定，其年代为公元前 5850 年，可见黍在中国的栽培也有近 6000 年的历史了，与粟一样古老。大地湾"黍"的发现，不仅证明中国是黍的原产地，而且进一步明确了黍就发源于甘肃东南部一带。

此外，在黑龙江、吉林、辽宁、山西、陕西、山东、青海、新疆等省区也发现了五六千年前的黍遗存。其中辽宁省沈阳市新乐遗址出土的黍粒，年代为公元前 5300～4800 年。山东省长岛县北庄遗址出土的黍壳，年代为公元前 3500 年。陕西省临潼县姜寨遗址出土的黍壳和朽灰，年代距今 5500～5000 年。

迄今为止，在长江流域的新石器时代遗址中尚未发现过黍的遗存，可能因它不适于在潮湿多雨而又炎热的南方种植。尽管在江苏、湖南和广东的一些汉墓中出土了一些黍（多为空壳），但是它们可能是从北方运来的粮食，不一定就是南方的产物，这也许和墓主人的身份、籍贯与喜好有关。

3. 高粱的栽培与驯化

高粱为禾本科一年生草本植物，性喜温暖、抗旱、耐涝，我国南北均有种植，以东北各地种植最多。农学界多认为高粱原产于非洲中部，而我国文献记载直到晋代才有"蜀黍"一名，唐代才有高粱的名称。因此，过去很多学者都认为我国的高粱是魏晋时期才从国外引进的。但是，早在 20 世纪 30 年代，在山西省万荣县荆村的新石器时代遗址中曾发现过高粱。1957 年在江苏省新沂县三里墩遗址发现了西周时期的炭化高粱秸秆和叶片。然而中国新石器时代是否已经种植高粱，学术界始终持怀疑态度。70 年代在河南省郑州市大河村第三期房子中出土了一瓮仰韶文化时期的炭化粮食，经李瑶教授通过对其外表形态的观察判断，认为是高粱米。1980 年年初，在陕西省长武县碾子坡遗址的先周文化层中发现了 3000 年前的炭化高粱，经中国科学院植物研究所鉴定为未去皮的高粱子粒。更为珍贵的是李瑶教授等人 1985 年和 1986 年在甘肃省民乐县东灰山发现的 5000 年前的炭化高粱，其形状和现代高粱相同，接近球形。炭化子粒中有一些破损，有一些胚部可鉴，比较完整，经鉴定是中国高粱较古老的原始种。这两处重要发现再次填补了中国农业考古上长期留存的空白。于是研究者又到文献中查找汉代以前是否有高粱的其他名称。有的学者认为古文献中的"粱"、"膏粱"、"秫"、"粱秫"等都是指高粱，有的则认为"粱"指的是一种品质优良的粟类作物，故高粱在文字研究方面至今没有统一的结论。

此外，在辽宁辽阳三道壕、陕西西安市郊、河南洛阳烧沟等地的西汉村落、墓葬中也发现了高粱子粒，在河北石家庄市庄村发现了战国时期的高粱。河南省洛阳市烧沟汉墓出土的陶仓上经常书写"麦万石"、"粱万石"、"豆万石"之类文字。有意思的是，将写有"粱万石"陶仓里的谷物送到河北农学院鉴定，竟发现是高粱。可见，汉代文献中的"粱"有可能是指高粱。当然，要解决中国高粱起源于何时何处的问题，目前还为时尚早。但中国种植高粱的历史可以早到5000年前的新石器时代，看来是难以否定的。

4. 麦的栽培与驯化

国内外学术界多主张小麦起源于西亚，中国的小麦也是从西方传入的。麦子传入中国以前，中国的南方和北方都早已进入到农耕文明阶段，南方以水稻种植为主，北方则以粟、黍等旱地作物种植为主，也可以说，麦是在中国人种植稻、粟之后4000～6000年乃至更晚之后才出现在中国的。就黄河流域而言，麦的进入甚至比稻还晚。大约在5000年前，麦子最先进入的是中国的西北地区。麦子来到北方之后，面临着最大的不适应便是干旱。麦子虽然属旱地作物，但和原产中国北方的其他旱地作物相比，要求要有较好的灌溉条件，在这个条件不能满足之前，一般都是选择低洼地种植。而当麦子在距今1700年左右进入中国南方之后，情况正好相反，南方雨水充沛，地势低洼，最大的障碍不是旱而是水，特别是在稻麦二熟地区，水稻在收割之后，为了能及时地种上麦子，必须及时地排干稻田中的水，同时种稻和种麦之间还存在季节上的矛盾。尽管麦子进入中国以后遇到了许多障碍，但5000多年以来，麦子还是在中国得到了长足的发展。

麦子在中国的本土化经历了一个自西向东，由北南来的历程。麦子可能最先就是由西亚通过中亚，进入到中国的西部地区。古文献中也有有关西部少数民族种麦食麦的记载，如成书于战国时代的《穆天子传》记述周穆王西游时，新疆、青海一带部落馈赠的食品中就有麦。麦子虽然自西而

粮食的营养与保健

来，但汉代以前麦的主产区却是在东方，如商周时期，麦子已进入黄河中下游地区，春秋时期，麦已是中原地区司空见惯的作物了。据《左传》记载，现今的山东、山西、河南、河北、安徽等地在当时都有小麦种植。自战国时开始，主产区开始由黄河下游向中游扩展，汉代又进一步向西、向南扩展。麦的起源目前国内外学者虽尚有争论，但中原地区上古原不产麦，则是得到公认的。

农作史证明麦类原为野生，后被人工培育，在种植上是先有大麦，后有小麦，故早期的《诗经·周颂·思文》中的"来牟"是对麦的统称，而"来"就是大麦。所谓"二麦一锋，象其芒束之形"，指的就是大麦的形状，因大麦之颖果排列为明显的两列（改进种为四列），而小麦则锋列不明显，故可知当时中原华夏人将初传入的麦写作"来"，既象形又取义，表明是一种外来的大麦种。那么，大麦从何而来的呢？著名藏学家、农业经济地理学家任乃强先生根据实地考察最早提出青藏高原为我国大麦原始产地之说，他认为高原上的古羌人最先培育出了大麦种。近一二十年青藏高原的综合科学考察也证明西藏地区很可能是大麦的原生地，因为至今在那里尚有与青稞种属极相近的野生麦种。而青藏高原世代生息的人们普遍食用的青稞（大麦的一种），藏语即叫做"Nas"，与汉字的"来"同音。由此可见，中原人最初将引入的大麦称作"来"，实际上原为借音和象形，汉儒释经时才加入了"行来"之义。

从考古看，迄今为止最早的麦作遗存大多数发现在西北地区。解放前曾在山西省保德县王家湾史前遗址出土的陶片上发现印有某种类似麦粒和芒的痕迹，因缺乏科学的记录，未引起重视。解放后最受人注意的考古发现是 1955 年安徽省亳县钓鱼台遗址出土的炭化麦粒。出土时，麦粒装在一个陶鬲中，呈青黑色，颗粒完整，共重 900 克左右。麦粒粗短没有稃，腹沟向两旁伸展，经小麦专家金善宝教授和南京农学院植物教研组鉴定为小麦栽培种。它比当地种植的现代小麦的子粒略小。盛麦的陶鬲经鉴定是西周时代的器形，这样小麦的时代最多只能定为西周。即使如此，这一发现对研究黄淮流域小麦种植的历史仍然有重要价值。此后，在 60 年代初，新疆巴里坤县石人子乡新石器时代遗址出土了颗粒完好的炭化小麦粒，不过其绝对年代却距今不超过 3000 年。1979 年，在新疆塔里木盆地东端的罗布泊西北约 70 公里的孔雀河下游北岸的古墓中，出土了一批小麦粒。经四川农学院农学系鉴定为普通小麦和圆锥小麦，其年代为距今 4000 年左右。与之相比，巴里坤县石人子乡的麦粒稍大，比较饱满，说明经过 1000 年左右的栽培，新疆的小麦品种已有明显的进化。1986 年，在新疆哈密市五堡乡克孜尔确卡古墓中发现了大麦植株和穗子，与现在哈密地区普遍种植的大麦品种相比较，它们除穗子较短外，其他特征基本相似，说明有很近的亲缘关系，经碳十四测定，年代为距今 3200 年左右。这对于研究大麦的起源、传播和品种的演变，都是难得的实物资料，并且由此还可看出新疆地区在我国麦类作物栽培史上占有重要的地位。

到了 20 世纪 80 年代，有关麦的研究才有较大突破。中国科学院遗传研究所李璠教授于 1985 年和 1986 年两次在甘肃省民乐县六霸乡东灰山新石器时代遗址中，发现了大麦、小麦、高粱、粟、黍五种炭化子粒。其中采集到的数百粒小麦子粒，可分为大粒型、普通型和小粒型三种。大粒型平均粒长 5.7 毫米，宽 3.75 毫米，厚与宽接近，形状为椭圆形或卵圆形，胚部与腹沟都清晰可辨，子粒尾端圆；普通型平均长 4.9 毫米，宽 3.35 毫米，厚接近于宽，子粒形状为短圆形或卵圆形，子粒尾端圆，胚部与腹沟清楚；小粒型平均粒长 4.05 毫米，宽 2.95 毫米，厚与宽接近，子粒形状为短圆形或卵圆形，胚部与腹沟清楚可辨。这些麦粒均与普通栽培小麦粒形十分相似，属于普通小麦种（Triticum aestiuum）。可以看出它们当时是混合生长在一起的，植株有高有矮，穗头有大有小，很不整齐，是一种粗放耕作的原始种植业。出土的大麦粒呈纺锤形，两头尖，胚部与腹沟都很清楚，绝大多数为裸粒，平均粒长为 5.21 毫米，宽 3 毫米，厚与宽接近。它们与现代西北地区种植的青稞形状十分相似，属于栽培型的青稞。此外还可能有少数皮大麦和黑麦子粒。东灰山遗址的年代经碳十四测定为距今 5000 年左右，这样就解决了我国新石器时代是否种植小麦的长期争论，把我国小麦种植的历史推到 5000 年前，是我国近年来农业考古的一个重大收获。

总之，中原引进麦后，经过长期的发展，终于取代了黄河流域固有的黍、粟的地位，小麦成了我国广大居民的主粮。

5. 大豆的栽培与驯化

大豆为豆科大豆属一年生草本植物大豆的子粒。大豆原产于我国，已有5000多年的种植历史，现在世界各国栽培的大豆都是我国直接或间接传去的。大豆古代叫"菽"，俄、英、德、法等西文中大豆的名词，都是菽字的音译，《诗经》中有："中原有菽，庶民采之"的记载；秦汉以后就以"豆"字代替"菽"字了。

大豆起源于中国，这是世界各国学者所公认的。Herbert在《美国大百科全书》中指出："中国古文献认为，在有文献记载以前，大豆便因营养值高而被广泛地栽培。同时在公元前2000年大豆便被看作是最重要的豆科植物。"Cuzin在《苏联大百科全书》"大豆"条目中写道："栽培大豆起源于中国，中国在5000年前就开始栽培植物。并由中国向南部及东南亚各国传播，以后于18世纪到欧洲。"

有学者认为"大豆于公元前11世纪左右首先出现于中国华北的东部。中国东北很可能是第二个大豆的基因中心（多样性中心），而且在这个地区，野生大豆（G. soja）与栽培大豆（G. max）有最大的机会进行混杂和杂交，从而产生了半野生大豆（G. gracilis）"。Fukuda认为，中国东北是大豆起源中心。他的根据：一是半野生大豆在中国东北分布极广，而在中国其他地方则不多见；二是中国东北地区的大豆品种很多；三是这些品种中有很多明显地具有原始性状。

1974年王金陵等在分析了中国南至湖南衡阳，北至黑龙江北部野生大豆的光周期特性后，发现长江流域及其以南地区的野生大豆，在原始性状、短光照性方面最强。因而认为，我国长江流域及江南地区应是大豆起源的中心。因此，认为北方地区的大豆，也可能是从当地野生大豆经定向选择而来的。

1977年吕世霖认为，大豆在我国的起源是多中心的。根据有二：一是我国南北各地文化发达较早，并有关于种植大豆文字记载的地区；二是野生大豆普遍存在，而各地的野生大豆的短日照程度不同，栽培大豆的短日照性差异又很大，这恰好说明起源是多中心的。

汉代司马迁（公元前145—前93年）编的《史记》中，头一篇《五帝本纪》中写道："炎帝欲侵陵诸侯，诸侯咸归轩辕。轩辕乃修德振兵，治五气，鞠五种，抚万民，庆四方。"郑玄注曰："五种，黍稷菽麦稻也。"由此可见轩辕黄帝时已种菽。我国最早的一部诗歌集《诗经》收有西周时代的诗歌 300 余首，其中多次提到菽。描叙夏商时代之作《夏小正》中指出："五月参见初昏大火中，大火者心也，心中种黍菽时也。"战国时期的文献更是经常"菽粟"并提，如《战国策·韩策》载："民之所食，大抵豆饭藿羹。"证明大豆在古代确实是主要粮食之一。

从考古发现，山东省滕州出土过 4000 年前的野大豆粒。1953 年于洛阳烧沟汉墓中出土的 2000 年前的陶制粮仓上，有用朱砂写的"大豆万石"字样。1959 年于山西省侯马县发现大豆粒多颗，根据碳十四测定，距今已有 2300 年，系战国时代遗物。黄色豆粒，百粒重约 18～20 克。这是迄今为止世界上发现最早的大豆出土文物。20 世纪 80 年代在陕西省扶风县案板出土的已经钙化的"豆类颗粒"，距今 4000 多年。其次是 20 世纪五六十年代在东北的发现，如黑龙江省宁安县大牡丹屯和牛场遗址以及吉林省永吉县乌拉街遗址都出土过大豆，其年代距今 3000 年左右。稍晚些的是吉林省永吉县大海猛遗址出土的大豆，经碳十四测定，年代为距今 2590±70 年，相当于中原的春秋时期。

近年来，我国科学工作者在中国各地对野生大豆进行的考察和研究表明，野生大豆在中国分布很广泛。北到黑龙江省的塔河县依西肯乡，东到黑龙江省抚远县，南到广东省的韶关，西到甘肃、宁夏一带均有野生大豆分布，而且类型丰富。在中原地区，河南、山西、陕西等省分布也很广泛。而野生大豆类型如此丰富是其他国家所不及的。

根据古代文献、文物考古、栽培大豆品种资源和野生大豆的分布，证明栽培大豆起源于中国数千年前。据《诗经·豳风》描述，至少有 3000 年。据《史记》记载，4500 余年前中国就开始种植大豆，最早栽培大豆的地区在黄河中游，如河南、山西、陕西等地或长江中下游。

栽培大豆是从野生大豆经过人工栽培驯化和选择逐渐积累有益变异演变而成的。这可以从目前中国发现有大量的大豆中间类型来证明。从野生大豆到栽培大豆有不同的类型。从大豆粒形、粒大小、炸荚性、植株缠绕性或直立性等方面的变化趋势可以明显地看出大豆的进化趋势。一般野生大豆的百粒重仅为 2 克左右，易炸荚，缠绕性极强。半野生大豆的百粒重为 4~5 克，炸荚轻，缠绕性也较差。从半野生大豆到栽培大豆间还存在不同进化程度的类型。用栽培大豆与野生大豆进行杂交，其后代出现不同进化程度的类型，介于野生大豆和栽培大豆之间。这也可以间接地证明栽培大豆是从野生大豆演变而来的。

根据文献记载，山戎在大豆栽培和驯化过程中起了关键作用。山戎——是向华北平原发展的原始通古斯部族的一支，他们生活的丘陵地区位于野生豆类集中产区的西南边缘。大概因为他们的土地不很适合于大豆的自然繁殖，山戎必须选择适当的驯化大豆的方法，经长期努力，终于获得成功，因此山戎是大豆的最早驯化者和栽培者之一。栽培大豆也是东北平原或华北平原北部居民长期人工驯化的结果。

从商周到秦汉时期，大豆主要在黄河流域一带种植，是人们的重要食粮之一。当时的许多重要古书如《诗经》《荀子》《管子》《墨子》《庄子》里，都是菽粟并提。《战国策》说："民之所食，大抵豆饭藿羹。"就是说，用豆粒做豆饭，用豆叶做菜羹是清贫人家的主要膳食。到了汉武帝时，中原地区连年灾荒，大量农民移至东北，大豆随之引入东北。东北土地肥沃，加上劳动人民世世代代的精心选择和种植，大豆就在东北安家落户。公元前 1 世纪《氾胜之书》记载，当时我国大豆的种植面积已占全部农作物的 4/10。根据在长沙出土的汉墓文物中有大豆一事，说明 2000 年前在中国南方已有大豆种植。《宋史·食货志》记载，宋时江南一带曾遇饥荒，从淮北等地调运北方盛产的大豆种子到江南种植。从《氾胜之书》可以看出 2000 多年前大豆在中国已经到处栽培。

早在公元前，中国、朝鲜人民在经济文化上就有了频繁交往。战国时燕、齐两地人民和朝鲜即有交往，由此大豆传入朝鲜。我国西汉时已与日本有友好往来，汉武帝时，日本就派遣使者与汉朝往来。汉建武中元二年（公元 57 年），倭奴国派使臣与汉通好，刘秀遂以"汉倭奴国王"金印相赠，此金印已在日本九州志贺岛崎村出土。有学者认为，中国大豆大约于公元前 200 年自华北引至朝鲜，而后由朝鲜又引至日本。日本南部的大豆，可能在公元 3 世纪直接由商船自华东一带引去。到 1751 年，欧洲药理学家已熟悉日本的大豆及其在医学上的用途。1740 年，法国传教士曾将中国大豆引至巴黎试种。1790 年，英国皇家植物园邱园首次试种大豆。1873 年以后，维也纳人 Friedrich Haberlandt 在维也纳博览会上得到中国与日本大豆品种 19 个，经精心安排试种，其中 4 个品种收获到种子，并从此开始种植大豆。1765 年大豆种子由东印度公司的一名海员从中国经伦敦带到美国。美国于 1765 年在佐治亚州的一个农场首次种植大豆。

6. 稻的栽培与驯化

稻为禾本科一年生稻属植物稻的颖果。水稻是从普通野生稻驯化而成的。中国水稻专家丁颖指出：中国早在公元前 27 世纪就开始种植水稻，到公元前 12 世纪黄河流域已广泛种植水稻。在殷朝古墓出土的帚卜上就刻有"稻谷"一词（帚 zhǒu 卜：吴中旧俗，妇女于正月灯节用裙束破帚以占事），还有预见收成好坏的记载。到唐、宋时，稻谷产量已占全国粮食的首位。

过去通常认为最早的人工栽培稻是起源于印度到中国云南一带。自从 1970 年浙江河姆渡遗址的稻谷出土以后，传统的思想受到冲击。也引发了一波古稻起源追寻的研究。目前考古发现的早期稻谷遗存大多数也是在江浙地区。仅新石器时代的稻谷遗存，目前就已发现 130 多处，其中属于长江流域的有 110 多处，可见稻作的起源地应是"饭稻羹鱼"的"楚越之地"。

20 世纪上半叶，有关稻作遗存的考古材料，只有在河南省渑池县仰韶村发现的烧土上的稻谷印痕，由于地层不明确，其确切年代还有争议。因而在稻作研究方面，未能引起重视。

直到解放以后，有关稻作遗存的发现才逐渐增多。50 年代，在湖北京山屈家岭、武昌放鹰台、天门石家河，安徽肥东大陈墩，江苏无锡施墩、无锡锡山、无锡仙蠡墩、南京庙山，浙江吴兴钱山漾、杭州水田畈等处，发现了距今 4000 多年的炭化稻谷、稻壳或稻谷印痕，开始引起农学家的注意。

20 世纪 60 年代初期，在江西省修水县跑马岭、上海市青浦县崧泽、江苏省吴县草鞋山、湖北省郧县青龙泉和京山朱家嘴等遗址也发现了稻作遗存，其中崧泽、草鞋山等处的年代距今 6000 多年，远早于 50 年代的几处发现。

20 世纪 70 年代初在浙江省余姚县河姆渡遗址和 70 年代末在浙江省桐

粮食的营养与保健

乡县罗家角遗址都出土了大量炭化稻谷。在河姆渡遗址第四文化层的十几个探方 400 多平方米范围内，普遍发现了稻谷和稻秆、稻叶，有的地方的堆积层厚达 20 ~ 50 厘米，经鉴定为中晚型水稻，籼稻约占 60.32% ~ 74.59%，粳稻占 20.59% ~ 39.68%，中间类型占 3.6% ~ 4.41%。罗家角遗址六个探方中的第三、第四文化层也发现很多稻谷遗存。其中两个探方出土的稻谷经鉴定，籼稻占 64.74% ~ 76.46%，粳稻占 23.54% ~ 35.26%，而且还有一些中间过渡类型，说明是一个杂合群体。经碳十四测定，河姆渡遗址第四文化层的年代为公元前 4780±90 年，罗家角遗址的年代为公元前 5190±45 年，距今已有 7000 年左右，在当时是世界上最早的稻谷遗存。由于时代早，数量大，而且还伴出大批骨耜等典型农具，显示出已有一定的农耕水平，说明其种植水稻的历史还应往前推移。因而许多学者认为浙江杭州湾附近的平原可能是水稻的起源地。联系草鞋山遗址第十文化层的灰坑中出土结成团块的炭化稻谷，籼稻约占 60%，粳稻约占 40%，而崧泽遗址出土的稻谷则以粳稻为主等现象来看，有随着时代的进展而粳稻的比重越来越大的趋势，这对研究籼粳分化的历史具有参考价值。

1995 年在中国湖南道县玉蟾岩遗址里，发现了四粒黄色的稻谷，测定年代为公元前 10000 年前，据知是目前世界上最早的稻谷。广东英德还出土过约 10000 年前的人工栽培的水稻硅质体。

稻类除称为旱稻的生态型外，大多数水稻都是在热带、半热带和温带等地区的沿海平原、潮汐三角洲和河流盆地的淹水地栽培。栽培稻既然是从普通野生稻驯化而来，那么栽培稻和普通野生稻有什么根本的不同呢？在自然条件下生长的普通野生稻，它的谷粒细小，芒长，壳硬，脱壳困难，成熟参差不齐，要分次采收，种子的蛋白质含量虽然高，但产量很低。种子的休眠期很长，发芽不整齐。这是因为普通野生稻的茎秆再生能力很强，它并不完全依赖种子繁殖……但这些缺点都是站在人类的立场所作的评价。就野生稻本身而言，这些所谓的"缺点"，恰恰是野生稻在自然生存竞争中立于不败之地的突出优点。经过驯化的栽培稻，谷粒变大，芒变短甚至无芒，茎秆再生能力弱，甚至丧失了再生能力。种子没有休眠期，成熟整齐，播种期伸缩性大，发芽率高，成熟后可以一次收割，产量更高，米饭容易消化，营养和食味更好等优点，都是按照人类的要求，培育而成的。栽培稻虽然获得了这么多的优点，但同时丧失了抗病虫害的能力，丧失了与杂草斗争的能力，必须依赖人力的施肥、除草、灌溉、防除病虫害等不断培育。而野生稻在自然界里是完全独立生活的，没有任何外加力量培育它。栽培稻和它的祖先——普通野生稻的差异变得如此之大，以至它们在分类上已经成为"稻属"（Oryza）下面两个不同的"种"（species）。普野的学名是 Oryza perennis，栽培稻的学名是 Oryza sativa。

从水稻驯化的过程来看，最先驯化的是籼稻，因为野生稻都分布在长江以南。籼稻继承野生稻的特性，是天生地喜暖不耐寒。华南气候的特点是温度高，雨水充沛，稻作时间最长。华南全年的月平均温度在 10℃ 以上，年降雨量平均 1500～2000 毫米。稻作期间平均气温在 22℃～26℃，昼和夜的温度相差只有 5℃～8℃，一年可以种植早晚两季水稻。华北如京津地区的气候特点是，稻作期间的平均气温为 19℃～21℃，昼夜温差高达 12℃～15℃，月平均温度在 10℃ 以上的时间只有 6 个多月，年降雨量平均 500 毫米以上，容许水稻生长的时间只有 5 个月左右（东北稻区更短），所以只能种植一年一熟的早稻类型。从华南向华北推进，温度渐次降低，昼夜温差逐渐增大，在这个过程中，籼稻推进到长江流域便产生出粳型的水稻，这一带成了籼、粳共存的地带，再继续北上，籼稻便被粳稻完全取代了，因为籼稻不耐低温，而粳稻生育期较短，又远比籼稻耐寒。所以，籼稻主要分布在华南的广大地区，到长江流域就不再北上了；粳稻则主要分布在黄河流域及其以北。

那么，粳稻是怎样产生的呢？野生稻的群体是由许多变异很大的植株构成，所谓变异大，是指有的植株喜温暖，有的耐低温，有的生育期长（如晚稻），有的生育期短（如早稻）。在华南特定的气候条件下，只有适合于华南当地气候的植株（基因），得到大量充分的生长繁殖，表现为典型的籼稻。而那些耐寒的、早熟的植株，与当地的气候格格不入，便处于潜伏的极少数的地位。同样的道理，随着把群体逐渐向北方推进，则是那些耐寒的、适应昼夜温差大的、生育期短的植株（基因），获得发展的机会，而那些喜温暖的、不适应昼夜温差大的、生育期很长的晚稻类型，便遭到压制和淘汰。慢慢地，人们终于从中选择出粳型的水稻来。但是，完

粮食的营养与保健

成籼、粳的分化，经历了很长很长的时间，早在原始农业时期已经初步完成，以后又一直不间断地接受人们的选择，产生出各种不同的粳稻类型。

可以看出北方的水稻是从南方北上传入黄河流域的。近半个世纪以来，长江流域及其以南的新石器时代稻谷遗址，其时间跨度距今 4000 ~ 10000 年，而黄河流域的新石器时代的稻谷遗址，其年代距今只有四五千年，说明北方的水稻是在新石器晚期从南方北上传入黄河流域的。新石器晚期的北方年平均温度较现在约高 2℃，雨水和湖泊也比现今多，所以水稻很快在北方水源充足的地方落脚生根。进入有史以后，北方气候的总趋势是向干旱少雨方向发展，由于雨量逐渐减少，湖泊河流渐渐萎缩，水稻面积自然也跟着缩小。北方的水稻虽然至今仍有栽培，但其特点是没有构成大范围种植，现在的分布情况是新疆、甘肃河西走廊、内蒙河套地区、宁夏引黄灌区是一片；陕北、晋北和河北的部分地区是一片；东北辽宁、吉林和黑龙江等部分地区是一片。其中绝大部分种植的都是粳稻。

7. 麻、葛的栽培与驯化

原始人最初的衣服是冬披兽皮夏穿树叶，以后逐渐学会利用野生葛、麻的纤维纺织布料制成衣服。当原始农业发展以后，人们在种植粮食的同时也尝试栽培麻、葛等作物，以满足日益增长的需要。以麻、葛纤维为原料的中国古代纺织品，在原始社会时期已经出现，在新石器时代就已经掌握了其纺织技术。河南三门峡庙底沟和陕西华县泉护村 5000 多年前的仰韶文化遗址中，曾发现了每平方厘米经纬线各 10 根的布痕。西安半坡仰韶文化遗址发现了 100 余件带有编织物印痕的陶器，其编织方法已多种多样，有平纹编织法、斜纹编织法、一绞一的纱罗绞扭编织法、绞扭与绕环混合的手编法等。而且在经与纬的配置上使用了纬粗于经的方法，使织纹凸出。与此同时，人们也从采集野生的蚕茧进而学会养蚕缫丝纺织衣服。但这个过程可能要晚于粮食作物的栽培，大约是在新石器时代中晚期才发展起来的。

（1）麻类的栽培与驯化：麻类纤维是我国最早使用的纺织原料。其种类甚多，分布不同，性能亦不同。

①大麻（Cannabis sativa L.）。首先被驯化栽培的是大麻。大麻属于桑科一年生草本植物，在我国绝大部分地区均有分布。大麻又称火麻，雌雄

异株。雄麻古称为枲，纤维细柔，可作为纺织原料；雌麻古称为苴，子粒可以食用，古人曾作为粮食，被列为"五谷"之一。原始先民可能是在采集雌麻子粒过程中发现了雄麻纤维可做衣料，从而逐渐加以栽培。

大麻在商周以后生产愈盛。甘肃省临夏县东乡林家遗址出土过四五千年前的大麻籽，也可能大麻最早起源于这一地区。河南郑州大河村新石器时代遗址出土有不少大麻种子，推测当时已有大麻的纺织品利用。新疆孔雀河古墓内出土过 4000 年前的大麻纤维。辽宁省北票市丰下遗址出土的4000 年前的麻布残迹，是目前最早的实物标本。河北藁城台西村商代遗址和墓葬中均有大麻布出土。湖南长沙马王堆西汉墓中更有质量上好的大麻布发现，经检验分析，其纤维投影宽约 22 微米，截面积 153 微米，断裂强度为 4（《长沙马王堆一号墓出土纺织品的研究》，文物出版社 1980 年版）。

历史上我国大麻纤维使用的主要范围为除东南沿海之外的广大地区。《魏书·食货志》载：当时用大麻布充税的州郡县约 40 个，其中用大麻布充税的整州有 18 个，相当于现今河北、山西、陕西、甘肃、河南、山东、内蒙、辽宁、江苏等地。新疆曾出土过一件唐代大麻布，上有"澧州慈利县调布"字样，说明它来自中南地区。

大麻的子粒直到汉代还经常被当做粮食，不过，汉代以后作为粮食用的麻籽逐渐退出五谷行列，汉以后的墓葬或遗址中也就很少发现有麻籽遗存了。

②苎麻（Boehmeria nivea）。苎麻是荨麻科苎麻属多年生草本植物，又名野麻，也称白叶苎麻，是重要的纺织纤维作物。其单纤维长、强度最大，吸湿和散湿快，热传导性能好，脱胶后洁白有丝光，可以纯纺，也可和棉、丝、毛、化纤等混纺，闻名于世的浏阳夏布就是苎麻纤维的手工制品。中国麻纤维中最主要的也是苎麻，它是中国的特产，有"中国革"之称。

我国在新石器时代已开始使用苎麻纤维进行纺织生产，苎麻大约与大麻同时被种植。河姆渡遗址出土了不少草绳，即用苎麻制成。浙江吴兴钱山漾遗址（距今 5000 年左右）出土了多块苎麻布残片和苎麻绳子，苎麻布残片经密每平方厘米 24～31 根，纬密每平方厘米 16～20 根，说明苎麻是南方传统的纺织原料。1970 年江西贵溪仙岩战国早期墓出土的一批纺织品中，也有苎麻和大麻织品。1972 年湖南省长沙马王堆一号西汉墓出土的苎麻布，经密每平方厘米 37 根，纬密每平方厘米 44 根，可与丝帛媲美。1978 年在福建崇安武夷山岩墓船棺发现约公元前 1400 年的苎麻布，同时还出土了青灰色棉（联核木棉）布。江苏六合东周墓也曾出土过苎麻布，经密每平方厘米 24 根，纬密每平方厘米 20 根。1981 年河南郑州青台遗址（距今约 5500 年）发现了黏附在红陶片上的苎麻和大麻布纹、粘在头盖骨上的丝帛和残片，以及 10 余枚红陶纺轮，这是最早的丝织品实物。新疆吐鲁番也出土了两块分别写有"婺州兰溪县调布"和"宣州溧阳县调布"字样的苎麻织物，根据分析测试，其各项指标均与现代苎麻接近。

周、秦、汉、唐这几个时期，苎麻一直是黄河流域和长江流域的主要麻类纤维之一。我们经常能在南朝诗歌中看到《白舞》的诗歌，说明当时的苎麻织物确是一种较为高档的织物。宋代周去非在《岭外代答》中说，邕州产的苎麻布洁白细薄，有花纹的称为花，一端四丈余，重止数十钱，卷起放进小竹筒尚有余地。但价格昂贵，一端值十余缗（一缗为一千文钱）。宋元之后，苎麻生产逐渐减少，但仍在南方地区用以织夏布、蚊帐等。

③苘麻（Abutilon theophrasti）。苘麻为锦葵科苘麻属一年生草本韧皮纤维作物。又称青麻、古名檾（即絅 jiǒng，古代用细麻布做的套在外面的罩衣）等。纤维黄白或银白色，有光泽，耐盐、耐水浸。苘麻一般用作船舶和养殖海带用绳索的原料和织麻袋，但古代亦用于制作较粗糙的布。浙江余姚河姆渡遗址（距今约 7000 年）发现有苘麻的双股线，在出土的牙雕盅上刻画着 4 条蚕纹，同时出土了纺车和纺机零件。罗愿《尔雅翼》载："檾、苘、檾、颖，一物也。""檾，枲属，高四五尺，或六七尺，叶似苎而薄，实如大麻子。今人绩以为布及造绳索"。王祯《农书》中亦说，苘麻"可织为毯被，及作汲绠牛索，或作牛衣、雨衣、草覆等具"。

大麻和苘麻虽在周代曾用来织作衣料，罩于锦衣锦裳的外面起保护作用，但终因比较粗糙，后来则专门用来打绳索。

④蕉麻（Musa textilis）。蕉麻是我国南方生长的植物，属芭蕉科。在文献上经常被记为芭蕉或甘蔗，其叶鞘中含有 63% 的全纤维素，可用于织

为蕉布。《广志》中记载："芭蕉，一曰芭菹，或曰甘蕉。……其茎解散如丝，织以为葛，谓之蕉葛。虽脆而好，色黄白，不如葛色。出交趾建安"。唐宋时期，南方土贡中还经常能看到蕉葛或交隔之名，说明这一直是南方的特产。

⑤其他。在历史上曾经使用过的麻类纤维还有黄麻、山麻（薜）、菅等。

（2）麻类的初加工技术：麻的种类虽多，但其初加工技术却基本一致，即采用各种方法使麻纤维脱胶，去除半纤维素、果胶质、木质素等杂物。

麻纤维的脱胶方法主要是沤渍，即用微生物脱胶。《诗经·陈风·东门之池》所载：东门之池，可以沤麻，可以沤薜，可以沤菅，即是此类方法。《氾胜之书》还记载了其时间是"夏至后二十日沤枲，枲和如丝"。《齐民要术》中更对沤麻用水及程度作了描述："沤欲清水，浊水则麻黑，水少则麻脆，生熟且宜，生则难剥，太烂则不任。"《齐民要术》指出冬天可用温泉水沤麻，如此得麻"最为柔韧"。而陆玑《毛诗草木鸟兽虫鱼疏》则记载了苎麻"煮之用缉"的方法，即用煮练之法进行脱胶，此类方法，已非微生物脱胶，故而推测当时加入适量碱性物质方可。

（3）葛与葛布：葛（Pueraria lobata）属豆科多年生藤本植物，又名葛藤、葛麻。其根可食，其藤含有丰富的纤维素，可作纺织原料。

1972年，江苏吴县草鞋山新石器时代遗址第10层文化堆积中发现3块约公元前3400年的葛布残片，内有一块经密每平方厘米约10根，纬密每平方厘米13~14根，用扭绞加绕环织法编织出回纹和条纹暗花的葛布，这是中国已发现的最古老的手工织花葛布实物，现藏于南京博物院。

葛所制成的织物叫葛布，俗称"夏布"。葛布的生产在周代很受重视，设有"掌葛"专门管理葛布生产，春秋战国时期极盛。葛织品以广东之葛最为有名，其织葛者名细工，织成布弱如蝉翅，重仅数铢。清屈大均《广东新语·货语·葛布》载："粤之葛，以增城女葛为止，然恒不鬻于市。彼中女子终岁乃成一匹，以衣其夫而已。其重三四两者，未字少女乃能织，已字则不能，故名女儿葛。所谓北有姑绒，南有女葛也。其葛产竹丝溪、百花林二处者良。采必以女，一女之力，日采只得数两。丝缕以针不

粮食的营养与保健

以手，细入毫芒，视若无有。卷其一端，可以出入笔管。以银条纱衫之，霏微荡漾，有如蜩蝉之翼。"《诗经》中涉及葛的采集和纺织的就更多，如《王风·采葛》载："彼采葛兮，一日不见，如三日兮。"《周南·樛木》载："南有樛木，葛藟萦之。"汉袁康《越绝书·越地传》中还有吴越时期人工栽培葛的记载："葛山者，勾践罢吴，种葛。使越女织治葛布，献于吴王夫差。"

秦汉之后，葛的生产逐渐衰落。李白《黄葛篇》诗云："黄葛生洛溪，黄花自绵幂。青烟蔓长条，缭绕几百尺。闺人费素手，采缉作絺绤。缝为绝国衣，远寄日南客。苍梧大火落，暑服莫轻掷。此物虽过时，是妾手中迹。"说明葛织物在唐代已不流行。宋元以后，只剩下广东沿海地区尚有少量生产，如雷州的锦囊葛、增城的女儿葛等。

元明以后，棉花普及全国，我国葛麻织物需求量下降，逐渐为棉布所代替。宋代的棉织品得到迅速发展，已取代麻织品而成为大众衣料，松江棉布被誉为"衣被天下"。

葛纤维的初加工方法是用水煮法。《周南·葛覃》载："葛之覃兮，施于中谷，是刈是濩，为絺为绤。"濩即煮，《毛传》曰："濩，煮之也。"后来孔颖达也说："于是刈取之，于是濩煮之，煮治已迄，乃缉绩之，为絺为绤。"即将葛藤割下，用水煮烂，然后在流水中捶洗干净，取其纤维进行纺织。

第二章 食物的性能与基本作用

第一节 食物的性能

食物的性能是指食物发挥食疗的物质基础、作用趋向、主要归属及食物的补与泻等。

研究食性形成的机理及其运用规律的理论，称为食性理论，它是食性与功能的高度概括。食性理论的内容和药性理论的内容一致，也包括四气五味、升降浮沉、归经、补泻等。食性理论来自长期的饮食生活与医疗实践，并且依据阴阳、脏腑、经络学说为基础，根据食物所表现出来的各种特性和作用加以概括，逐渐上升为理论总结出来的。它是中医对食物的营养与保健作用的经验总结。

一、食物的四气

历代食疗本草在论述食物的功用时，首先标明其"气"和"味"，可见气与味是食物性能的重要标志之一。

食物的"四气"与药物的四气一致，也有寒、热、温、凉之分。它反映了食物在影响人体阴阳盛衰、寒热变化时的作用，为食性理论的重要组成部分，是说明食物作用的主要理论依据之一。

四气之中寒凉与温热是相对立的两种食性，而寒与凉、温与热之间则仅是程度上的不同，即"凉次于寒"、"温次于热"。四性从本质而言，只有寒热两性的区分。

此外，四性以外还有一类平性食物，它是指寒热界限不明显、食性平和、作用缓和，无论寒证、热证均可使用的一类食物。食物中平性的居多，温热之性次之，寒凉之性更次之。

食物的寒热温凉是依据食物作用于人体所产生的不同反应和所获得的不同疗效而总结出来的，它与所治疗疾病的寒热性质相对而言。

一般来讲，寒凉性食物分别具有清热泻火、凉血解毒等作用，对热证、火证有治疗作用。如西瓜、苦瓜、冬瓜、梨、萝卜、苋菜、紫菜、荞麦、绿豆、蚌蛤等食物都具有寒凉之性，因此都有清热泻火的作用，主要适用于发热口渴、小便黄赤、大便秘结、脉洪数等热性病症；此类食物也是素体阳热亢盛、肝火偏旺者首选的保健膳食。与此相反，温热性食物则分别具有温里散寒、补火助阳等作用，可以治疗阴寒证。如姜、葱、韭、蒜、辣椒、花椒、小茴香、红糖、羊肉、狗肉、鲫鱼、栗子、荔枝等都具有温、热之性，因此都有温里散寒的作用，主要适用于喜暖怕冷、肢体不温、口不渴、小便清长、大便稀薄等寒性病症；此类食物又是平时怕冷的虚寒体质者适宜的保健膳食。

二、食物的五味

早在春秋战国时代就有饮食调养的理论出现，在《尚书》、《周礼》中皆有记载，其重点偏于四时五味的饮食调养，如四时五味的宜忌，过食五味所产生的不良后果等。后经历代医家的不断补充，逐步完善了五味理论。

五味是指食物的辛、甘、酸、苦、咸五种味道，其中还包括淡味和涩味，因淡味附于甘味，涩味常伴有酸味，并且酸涩作用基本相同，因此称为五味。食物以甘味的最多，咸味与酸味次之，辛味更次之，苦味较少。

五味的确定最早是通过口尝而得，即通过人的感觉器官辨别出来的，如乌梅、山楂味酸，大枣、枸杞味甘（甜），所以它是食物真实味道的反

第二章 食物的性能与基本作用

映。由于食物"入口则知味，入腹则知性"，因此古人很自然地将食物之味与功效联系在一起，即"辛散、酸收、甘缓、苦坚、咸软"。因此，形成了最早的滋味学说，后来由于受五行学说的影响，这种最初的"滋味学说"逐渐被改为"五味学说"。

食物味的确定也和四气一样，更重要的是通过长期的临床观察，依据不同的食物作用于人体，所产生的不同治疗效果总结出来的。这种以功效来确定的"食味"，不再是食物的真实味道，所以食物的"味"除主要是指食物的口感味觉外，还含有功能的内涵。因此，五味的含义既代表了食物真实味道的"味"，又包含了食物功效的"味"，而后者构成了五味理论的主要内容。

五味与四气一样，也具有阴阳的属性，《内经》云："辛甘淡属阳、酸苦咸属阴。"阳则升，阴则降，因淡味"能渗、能利"，有渗湿、利小便的作用，所以，为阳中之阴；因咸味能"能下、能软"，即有泻下通便作用，又有软坚散结的作用，故为阴中之阳。

《素问·藏气法时论》指出："辛散、酸收、甘缓、苦坚、咸软。"这是对五味作用最早的概括。后世在此基础上进一步补充，日臻完善。

辛"能散、能行"，辛味的食物有发汗解表、行气活血等作用。辛味发汗解表的食物可治疗表征，如生葱、生姜、芫荽等，主要用于感冒恶寒发热、鼻塞流涕等病症；辛味行气的食物可治疗气滞症，如萝卜行气除胀，主要用于食积气滞，脘腹胀满；辛味活血的食物可治血淤症，如油菜破血，产妇煮食油菜，可用于产后淤血腹痛；玫瑰花能活血美容祛斑等。

此外，《内经》云，"辛以润之"，即辛味食物还有润养的作用。如辣椒、生姜、生葱、大蒜等辛味食物还有润养的作用，尤其是辣椒中所含的成分，能促进肾上腺素的分泌，提升基础代谢功能，故有中医的滋养补肾之意。几乎所有辛辣食物都属温热之品，所以，食后能促进血液循环，使脏腑得到适当滋养和推动，身体自然会健康。辛辣食物还能刺激汗腺分泌，增加排汗量，有助排出体内的毒素，加快新陈代谢，还能调整体内排水机能，减少水肿等。辛辣食物又能增进脑细胞的活性，令身体细胞不断有氧气供应，间接有延缓衰老的功效。

辛味的辣椒、胡椒、生葱、大蒜、芫荽等调味品，也能刺激胃液分泌，可使食欲增加，而有开胃作用。

辛味还包括"芳香"概念，系指食物的特殊嗅味，芳香性食物以水果、蔬菜居多，如橘、柑、佛手、芫荽、香椿、茴香等食物，芳香性食物一般具有醒脾开胃、行气化湿、化浊辟秽、爽神开窍等作用。

甘"能补、能和、能缓"，甘味的食物有补益、和中、缓急止痛的作用。甘味能补的食物多用治疗虚症，如栗子、大枣等主要用于脾胃虚弱、神疲乏力等病症；甘味能和的食物多用治疗中虚里急，如饴糖主要用于胃虚腹痛；甘味能缓的食物多用治疗脘腹疼痛，如结球甘蓝能健胃止痛，对胃及十二指肠溃疡有明显的止痛和促进溃疡愈合的作用。

甘味并有解毒作用，如绿豆、蜂蜜等；甘味也有润的作用，如蜂蜜既润肺止咳，又润肠通便。

酸"能收、能涩"，即具有收敛、固涩的作用。酸味食物用于治疗体虚多汗、肺虚久咳、久泻肠滑、遗精滑精、遗尿尿频、崩漏带下等症。如乌梅、石榴酸涩，有涩肠止泻的作用，适合于脾虚久泻，肺虚咳喘者食用。

此外，甘酸之味又能生津止渴，可用于津伤口渴。并能开胃消食，用于食积腹胀，如苹果、山楂、草莓等。

苦"能泄、能燥、能坚"，苦味的食物具有清泄火热、降泄气逆、通泄大便以及燥湿、坚阴（泻火以存阴）等作用。多用治热证、火证、喘咳、呕恶、便秘、湿证、阴虚火旺等症。如苦瓜、青果、枸杞苗等，可用于温性病发热、烦渴、气逆咳喘、呕吐诸症；苦杏仁能通便排毒，治疗肠燥便秘。

此外，饭前服用少量的苦味食物，能增强胃液分泌，有开胃作用，如苦瓜、苣荬菜。

咸"能下、能软"，咸味的食物具有泻下通便、软坚散结的作用，治疗热结便秘、瘿瘤、瘰疬等症，如用咸味的海参配木耳，取其泻下的作用，可治疗便秘；又如海带、紫菜等，用于痰淤互结引起的瘰疬瘿瘤等病症。

《素问·至真要大论》云："五味入胃，各归所喜……咸先入肾。"咸则入肾，是指咸味还有补肾的作用，故不少入肾经的咸味食物，如鱼、虾、蟹、乌龟、甲鱼等都具有良好的补肾作用。此外，咸味尚有养血作用。

淡"能渗、能利"，具有渗湿、利小便的作用。淡味食物多用治水肿、小便不利之症，如生薏米、冬瓜等。由于《神农本草经》未提淡味，后世医家主张"淡附于甘"。

涩味食物，具有收涩作用，多用于治疗虚汗、泄泻、尿频、遗精、崩漏出血等症。本草文献常以酸味代表涩味功效，或与酸味并列，标明药性。

各种食物所具有的味可以是一种，也可以是几种，这表明了食物作用的多样性。除此之外，醋的酸味、糖的甘味、香料的辛味、盐的咸味，有调味、增进食欲的作用，又是不可缺少的调味品。

五味与五行配属：《洪范》谓："酸味属木、苦味属火、甘味属土、辛味属金、咸味属水。"

五味与五脏联系：如《素问·宣明五气篇》说："酸入肝、苦入心、甘入脾、辛入肺、咸入肾。"但这仅是一般的规律，并不是一定不变的。如枸杞子味甘，作用却是补肝肾而不是补脾，因此不能机械地看待这一问题。

三、食物的升降浮沉

食物的升降浮沉是指食物的作用趋向，是食物作用的定向概念，也是食物作用的理论基础之一。

升降浮沉之中，升与降，浮与沉是相对立的；而升与浮，沉与降之间，既有区别，又有交叉，难以截然分开，在实际应用中升与浮，沉与降又常相提并论。按阴阳属性区分，则升浮属阳，沉降属阴。

在正常情况下，人体的功能活动有升有降，有浮有沉。升与降、浮与沉的平衡失调，可导致机体发生病理变化。如脾气当升不升，则中气下陷，表现为脱肛、子宫脱垂等中气下陷的病症；胃气当降不降，则可表现为呕吐、呃逆等胃气上逆的病症。利用食物升降浮沉的特性，可以纠正机体升降浮沉功能的失调。

由于疾病在病势上常常表现出向上（如呕吐、呃逆、喘息）、向下

（如脱肛、遗尿、崩漏）、向外（如自汗、盗汗）、向内（表征未解而入里）；在病位上则有在表（如外感表征）、在里（如里实便秘）、在上（如目赤肿痛）、在下（如腹水、尿闭）等的不同，因此能够针对病情，改善或消除这些病症的食物，相对来说也就分别具有升降浮沉的作用趋向了。

所以，升降浮沉作用趋向性的形成，是依据食物作用于机体所产生的疗效而概括出来的。它是与疾病所表现的趋向性相对而言的。

一般来说，食物的升浮沉降性能与食物的气味、质地有密切关系。并受到烹饪和配制的影响。

食物的升降浮沉与气味有关。王好古云："夫气者天也，温热天之阳；寒凉天之阴，阳则升，阴则降；味者地也，辛甘淡地之阳，酸苦咸地之阴，阳则浮，阴则沉。"《素问·至真要大论》载："辛甘发散为阳，酸苦涌泄为阴，咸味涌泻为阴，淡味渗泄为阳。"一般来讲，凡味属辛、甘，气属温、热的食物，大都是升浮食物，如芫荽、生姜等；凡味属苦、酸、咸，气属寒、凉的食物，大都是沉降食物，如苦瓜、乌梅、五味子，再如鲍鱼味咸，性凉，有清热利湿的作用。

食物的升降浮沉与质地有关。汪昂《本草备要》药性总义云，"轻清升浮为阳，重浊沉降为阴"，"凡药轻虚者，浮而升；重实者，沉而降"。食物也同样是如此。一般来讲，花、叶等质轻的食物大多升浮，如大葱、韭葱、芫荽等，再如粉葛质轻味辛，有升阳举陷的作用；而种子、果实质重者大多沉降，如荞麦、冬瓜、萝卜等。在常用食物中，沉降趋向的食物多于升浮趋向的食物。

食物的烹饪和配制与食物的作用趋向密切相关，如烹饪菜肴时加入酒、醋、葱、姜、香菜、辣椒等，则可改变食物的作用趋向，如中医有酒制则升，姜炒则散，醋炒收敛，盐炒下行之说；再如我们做菜时常将不同的蔬菜配在一起，一是更加可口，二是也在改变着食物的作用趋向，如鸡蛋面粉粥中加入姜、葱、香菜，能散寒解表，用于治疗风寒感冒。

一般来讲，升浮食物中在加入大队沉降食物后能随之下降；反之，沉降食物中在加入大队升浮食物后能随之上升。由此可见，食物的升降浮沉也受多种因素的影响，它在一定的条件下可相互转化，正如李时珍所说："升降在物，亦在人也。"

掌握食物的升降浮沉性能，可以调整脏腑气机的紊乱，使之恢复正常的生理功能，从而达到治愈疾病的目的。

具体而言：

（1）病变部位在上在表者宜升浮，如外感表征则应选用生姜、芫荽、大葱、韭葱等升浮的食物来发散表邪。

（2）病变部位在下在里者宜沉降，如热结便秘者则应选用菠菜、地瓜等沉降的食物来泻热通便。

（3）病势上逆者，宜降不宜升，如肝阳上亢，头晕目眩则应选用芹菜、元葱等沉降的食物来平肝潜阳。

（4）病势下陷，宜升不宜降，如气虚下陷，久泻脱肛，则应用粉葛等升浮的食物来升阳举陷。总之，必须针对疾病发生部位有在上在下在表在里的区别，病势有上逆下陷的区别，根据食物升降浮沉的不同特性，恰当选用，这也是指导食物营养必须遵循的重要原则（即顺病位、逆病势）。

四、食物的归经

食物的"归经"是指食物对机体某脏腑经络的选择性作用，即某种食物对某些脏腑经络有特殊的亲和作用，因而对这些脏腑经络的病变起着主要或特殊的食疗作用。归经也是食物效用的抽象归类方法，又是食物作用的定位概念。

归经指明了食物调养疾病的适用范围，即说明了食物调养的具体病位；归经也是食性理论基本内容之一。

归经理论的形成是在中医理论指导下，以脏腑经络学说为基础，以食物所治疗的具体病症为依据，经过长期临床实践总结出来的饮食理论。

正如《素问·至真要大论》所说："夫五味入胃，各归其所喜……物化之常也。"如中医认为脾主运化，胃主受纳，生姜、桂皮能增进食欲，萝卜、西瓜能生津止渴，故归属胃经；肺主气，司呼吸，柿子、蜂蜜能润肺止咳，故归属肺经；肝开窍于目，目得血而能视，枸杞子、猪肝能养肝明目，治夜盲、眼目昏花，故归属肝经。再如胡桃仁、甜杏仁、香蕉等，既能润肺止咳，又能通利大便，故归属肺与大肠经。

中医还认为，食物的归经与"味"有一定的联系，一般情况下：辛味食物归肺经，用辛味发散性食物，如葱、姜、芫荽等治疗表征及肺气不宣的咳嗽；甘味食物归脾经，用甘味补虚性食物，如红枣、蜂王浆、山药等治疗气虚症；酸味食物归肝经，用酸味食物，如山茱萸等治疗肝肾亏虚等症；苦味食物归心经，用苦味食物，如苦瓜、绿茶等治疗心火上炎或移热小肠等症；咸味食物归肾经，用咸味食物，如甲鱼、昆布、海藻等治疗肝肾不足，消耗性疾患（如甲亢、糖尿病等疾患）。

掌握食物的归经有利于针对脏腑来选择食物。如梨、香蕉、桑葚、猕猴桃都是常吃的一些水果，它们的性味都是甘寒，都有清热、生津、润燥的作用，但梨归肺经，偏于清肺热，润肺燥；香蕉归大肠经，偏于清大肠热、润肠；桑葚归肝经，长于清肝热，滋肝阴；猕猴桃入膀胱经，善于清膀胱之热。

此外，中医有以脏补脏之说，以脏补脏是指用动物的脏器来补养人体相应的脏腑器官，或治疗人体相应脏腑器官的病变，又称脏器疗法。如用猪肝来补肝明目，用猪肾来补肾益精，用生猪肚来治疗慢性胃炎、胃下垂，用新鲜的猪大肠治疗顽固性泻泄，用胎盘治疗不孕症等。前人在长期的医疗实践中，观察到许多动物的脏器不仅在外部形状和解剖结构上与人体相应的脏器相似，而且在功能上也与人体相应脏器相近，从而对相应脏腑有补益或治疗作用。但是各种动物脏器对人体脏腑器官的作用，各有偏重，如有的偏于补气，有的重在补血，有的偏于补阳，有的偏于养阴。因此，在具体应用时，应根据其特点和人体脏腑器官的具体情况来考虑。

目前，以脏补脏的做法，不仅限于中医，在世界医学领域内也在应用。如用肝粉治肝病，用心粉、脑粉治疗心、脑方面疾患，用胎盘治疗贫血体弱等。但须注意，并非动物的所有脏器都可以用来补养人体的脏器，特别是一些动物的腺体和淋巴组织，如猪的肾上腺、甲状腺，鸡的甲状腺、淋巴组织等，或对人体有明显的损害，或有比较严格的剂量限制，均不可作为食物食用。

五、食物的补与泻

"补"与"泻"的概念，一般是泛指食物的补虚与泻实作用，这也是食物的两大特性。补性的食物一般分别具有补气、助阳、滋阴、养血、生津、填精等功效；泻性的食物一般分别具有解表、散热、开窍、辟秽（防疫）、清热、泻火、燥湿、利尿、祛痰、祛风湿、泻下、解毒、行气、散风、活血化淤、凉血等功效。实践证明泻性食物大于补性食物，由此看来，食物的作用不仅为补虚，更大程度是为了泻实。

冬季是人们进补的最佳时期，各种补品也将闯入人们的视野，如人参、黄芪、当归、海参、海鳗、冬虫夏草、田七等。然而，如果不分体质是气虚、血虚、阴虚、阳虚，只是盲目的进补，反而会对人体造成损害。临床发现，近年来很多人对于饮食保健已走入一个误区，很多人因为盲目地补，不同程度的出现了心情烦躁、口干舌燥、流鼻血、腹胀等滋补综合征。因此，冬令进补要"有的放矢"，应注意以下五点：一忌无病进补，无病进补既增加开支，又伤害身体，如服用鱼肝油过量可引起中毒，长期饮食肥甘会引起发胖；二忌慕名进补，认为价格越高的补品越能补益身体，如人参价格高，但滥服人参会导致兴奋、烦躁、血压升高甚至鼻孔流血；三忌虚实不分，中医的治疗原则是"虚者补之"，不虚则不补；四忌补品多多益善，是药三分毒，任何补药服用过量都有害；五忌以药代食，重药轻食是不科学的，药补不如食补。

第二节　食物的基本作用

食物的基本作用主要分为食物的滋养作用、食物的预防作用、食物的治疗作用和食物的长寿作用等，这些均为膳食疗法的范畴，膳食疗法属于自然疗法的一种。自然疗法又包括膳食疗法、行为疗法、心理疗法等多种。

一、食物的滋养作用

食物是人体赖以生存的物质基础，从现代医学的角度来看，食物中含有丰富的蛋白质、脂肪、碳水化合物以及各种维生素、无机盐和微量元素等，这些营养素都是人体进行各种生理活动所必需的营养物质。一个人每天摄入食物中的精微几乎全部转化成人体的组织和能量，以满足生命运动的需要。所以，战国时期的名医扁鹊曾经说："安身之本必资于饮食。不知食宜者，不足以存生。"《难经》也载："人赖饮食以生，五谷之味，熏肤，充身，泽毛。"人体最重要的物质基础是精、气、神，机体营养充盛，则精、气充足，神自健旺。

饮食还可以调整人体的阴阳平衡，《素问·阴阳应象大论》载："形不足者，温之以气，精不足者，补之以味。"根据食物的气、味特点，及人体阴阳盛衰的情况，予以适宜的饮食调养，或以养精，或以补形，既能补充营养，又可调整阴阳平衡。

《素问·脏器法时论》也载："五谷为养，五果为助，五畜为益，五菜为充，气味合而服之，以补精益气。"对机体的生理功能、健康状况，起最大作用的是热量和蛋白质，而"五谷为养"强调了日常所必需的热量和蛋白质，主要应由粮食供给，五果在人体摄取营养素时起协助的作用；五畜是针对主食发挥其益处；五菜是辅佐和补充养、助、益之不足，使人体摄取的食物更加完善。

人体自身存在着三大平衡系统，即体温平衡、营养平衡和酸碱平衡。其中酸碱平衡是指人体体液的酸碱度维持在 pH 值 7.35～7.45 之间，也就是说健康的内环境是呈弱碱性的。酸碱平衡是依赖所摄入的食物的酸碱性，以及排泄系统对体液酸碱度进行调节来实现的。日常饮食有酸性食物和碱性食物之分。从营养学的角度上讲，也叫成酸食物和成碱食物。它们直接影响到人体体液的酸碱值。

1. 碱性食物

所谓碱性食物的概念应该包括两层含义：一是指一种食物含碱性元素（钾、钠、钙、镁等）的总量高于它所含的酸性元素（氯、硫、磷、氟等）的总量，即阴性略强于阳性而且又不含有不能氧化的有机酸。此项"看得见、摸得着"的量化标准可以由毫摩尔（符号为 mmol）表示。二是在体内代谢后最终产物仍然是碱性（阴性）者。此项的"看得见、摸得着"的量化标准可以由 pH 值来表示。蔬菜类如冬瓜、番茄、南瓜、黄瓜、萝卜、菠菜、白菜、卷心菜、油菜、芹菜、莲藕、洋葱、茄子、马铃薯等；水果类如苹果、梨子、香蕉、桃子、草莓、梅子、李子、柿子、葡萄、柑橘、柚子、柠檬、西瓜等；豆及豆制品如豆腐、豌豆、大豆、绿豆等；其他如蘑菇、竹笋、栗子、茶叶、咖啡、葡萄酒等属碱性食物，特别是海藻类如海带、紫菜等，所含矿物质远远高于蔬菜水果，红薯是强碱性食物。这些食物中的有机酸参与体内代谢，在人体内氧化后，会产生氧气、二氧化碳和水排出体外，剩下的金属离子能使体液的碱度升高。

2. 酸性食物

所谓酸性食物的定义也包括两层含义：一是指一种食物所含的酸性元素的总量高于所含碱性元素的总量，或含有不能完全氧化的有机酸类，即阳性略强于阴性。此项的量化标准由毫摩尔（符号为 mmol）表示。二是在体内代谢后最终产物仍然是酸性（阳性）者。此项的量化标准可以由pH 值表示。如蛋白质丰富的肉禽类、蛋类、鱼类、粮食、油脂、花生、榛子、核桃、白糖、啤酒等属酸性食物。这些食品中的硫、磷含量高，在人体内代谢后形成硫酸、磷酸，使体液的酸度升高。

可以看出，所谓酸性和碱性食物，并非由口感或味觉来识别，主要是看食物被机体吸收氧化后所蕴涵的化学元素来作为鉴别的依据。大凡含氮、硫、磷等非金属元素较多的则为酸性，而含钠、钾、钙、镁等金属元素较多的乃是碱性。比如醋是酸的，柑、梅、杏等水果也是酸的，但它们非但不是酸性食品，恰恰相反，却是典型的碱性食品。

日常生活中摄入的太多酸性食物可用碱性食物来中和，保持血液的弱碱性。它能使血液中乳酸、尿素等酸性毒素减少，并防止其在血管壁上沉积，因而有软化血管的作用，故有人称碱性食物为"血液和血管的清洁剂"。此外，碱性食物对于美容，提高智力，解除疲劳和春困都有显著效果。因此可以说，要想保持人体的酸碱平衡，远离酸性体质给人们带来的各种疾病的困扰，就要减少酸性食物、增加碱性食物的摄取量，把酸性食物和碱性食物的比例控制在1:4 的水平上。据此，我们日常饮食应多进食蔬菜、水果、豆类、牛奶、坚果仁类的杏仁等碱性食物，而少进食肉类、鱼类、粮食、油脂、白糖、啤酒、以及坚果仁类中的花生、榛子等酸性食物。

3. 中性食物

中性食物则是食物所含的金属元素与非金属元素基本均衡，进入人体

粮食的营养与保健

后代谢产物的酸碱性基本平衡，称为"中性食物"。例如：牛奶、芦笋等。

此外，《黄帝内经》中说："饮食有节……故能形与神俱，而尽终其天年，度百岁乃去。"所谓饮食有节，是指饮食要有节制。中医学认为，一日之中，机体阴阳有盛衰之变，白天阳旺，活动量大，故食量可稍多；而夜暮阳衰阴盛，即待寝息，以少食为宜。因此，古人有"早餐好，午餐饱，晚餐少"的名训。所以，饮食养生，并非是无限度地补充营养，而是必须遵循一定的原则，如合理调配、饮食卫生、四时宜忌、因人制宜等。

二、食物的预防作用

《黄帝内经》中说："夫圣人之治病也，不治已病，治未病；不治已乱，治未乱。夫病已成而后药之，乱已成而后治之，譬犹渴而穿井、斗而铸锥，不亦晚乎！"祖国医学非常重视"治未病"，未病先防是中医理论体系中重要内容之一。"治未病"重要的一条，就是加强饮食的滋养作用，使五脏功能旺盛、气血充实。《内经》载："正气存内，邪不可干。"人体正气充盛，邪气就不能侵袭人体而致病。

现代研究证明，人体如缺乏某些营养成分，就会导致疾病。如缺少蛋白质和碳水化合物就会引起肝功能障碍；缺乏某种维生素就会引起夜盲症、脚气病、口腔炎、坏血病、软骨症等；缺乏某些微量元素，如缺少钙质会引起佝偻病，缺乏磷质会引起神经衰弱，缺乏碘会引起甲状腺肿，缺乏铁质会引起贫血，缺少锌和钼则会引起身体发育不良等。故通过食饮的全面配合，或有针对性地增加上述食物成分就会预防和治疗这些疾病。中医学早在1000多年以前，就有用动物肝脏预防夜盲症，用海带预防甲状腺肿大，用谷皮、麦麸预防脚气病，用水果和蔬菜预防坏血病等记载。

现代研究证明，进食小麦可以降低血液中雌激素的含量，从而达到预防乳腺癌的目的。对于更年期妇女，食用小麦还能缓解更年期综合征。燕麦中含有丰富的亚油酸，连续30天每天摄取3克燕麦水溶性纤维，能够有效降低血液中的胆固醇含量，对动脉粥样硬化、冠心病和高血压有较好的防治作用。燕麦还可以改善血液循环，经常食用燕麦，对中老年人的心脑血管病起到一定的预防作用。

再如玉米中含有多种人体必需的氨基酸，能促进人的大脑细胞正常代

第二章　食物的性能与基本作用

谢，有利于排除脑组织中的氨，具有防止脑功能退化的作用。玉米还有降低血清胆固醇、抗血管硬化、防治冠心病等作用。玉米中含的纤维素可防治便秘，也可防止肠内微生物产生致癌物质引起的结肠癌等。

除了从整体出发的饮食全面调理和有针对性地加强某些营养食物来预防疾病外，中医学还发挥某些食物的特异性作用，直接用于某些疾病的预防，如用葱白、生姜、豆豉、芫荽等可预防感冒，用甜菜汁或樱桃汁可预防麻疹，用鲜白萝卜、鲜橄榄煎服可预防白喉，用大蒜可预防癌症，用绿豆汤预防中暑，用荔枝可预防口腔炎、胃炎引起的口臭症状，用红萝卜粥可预防头晕等。

另外，对于饮食习惯和饮食方法在疾病预防中的作用，也日益引起科学家们的关注。

三、食物的治疗作用

食物和药物都有治疗作用，但食物治病的基本原则是长期食用、慢慢调理；而药物治病的基本原则是根据病情服药有时，中病即止。就治病而言，食疗较药疗更为重要，所以历代医家主张"药疗不如食疗"，古人称能用食物治病的医生为"上工"。如宋代《太平圣惠方》记载："夫食能排邪而安脏腑，清神爽志以资气血，若能用食平疴，适情遣疾者，可谓上工矣。"孙思邈也在《千金方》中说："凡欲治疗，先以食疗，既食疗不愈，后乃用药尔。"

食物的治疗作用可以概括为三个方面，即"补"、"泻"、"调"，即补益腑脏、泻实祛邪、调整阴阳。

1. 补益腑脏

人体各种组织器官和整体的机能低下是导致疾病的重要原因。中医学把这种病理状态叫做"正气虚"，其所引起的病症称为"虚证"。根据虚证所反映的症状和病机不同，可分为肝虚、心虚、脾虚、肺虚、肾虚以及气虚、血虚等。主要表现为心悸气短、全身乏力、食欲不振、食入不化、咳嗽虚喘、腰膝酸软等。

"虚则补之"，对于虚证或素体虚弱者，中医主张调整饮食或用血肉有情之品来滋补。如鸡汤可用于虚劳，当归羊肉汤可用于产后血虚，牛奶用

（左侧竖排）粮食的营养与保健

于病后调理，胎盘粉可用于补肾强身，猪骨髓可用于补脑益智，动物脏器可用于滋补相应的脏腑等。

米面果茶等也有改善人体机能、补益脏腑气血的作用。如粳米可补脾、和胃、清肺。荔枝甘温益血，益人颜色，身体虚弱者，病后津伤都可用来滋养调摄。花生能健脾和胃、滋养调气，营养不良、乳汁缺乏者，可用以补虚益气。黑芝麻有补血、润肠、生津、乌发的作用。银耳有益气生津等作用，可用于肺脾两虚、津亏阴虚体弱之人等。

2. 泻实祛邪

外部致病因素侵袭人体，或内部功能的紊乱和亢进，皆可使人发生疾病。如果病邪较盛，中医称为"邪气实"，其症候则称为实证。如果同时又有正气虚弱的表现，则是"虚实错杂"。此时既要针对病情进行全面的调理，又要直接去除病因，即所谓"祛邪安脏"。如大蒜治痢疾，山楂消食积，鳗鱼治肺痨，薏米祛湿邪，藕汁治咳血，赤豆治水肿，猪胰治消渴，蜂蜜润燥，鸡蛋除营养外，还可调节脏腑功能，清热解毒等。

3. 调整阴阳

人体机能只有在阴阳协调的情况下，才能维持健康状态，免受病邪的侵袭。中医学把人体内阴阳对立的双方分为"阴"、"阳"两大方面。认为阴阳双方的协调是生命活动的基本条件。生活中，饮食得当则可起到维持阴阳协调的作用，另外，对因为阴阳失调所导致的疾病状态，利用食物的性味也可以进行调节。

中医学把人体内阴阳失调所出现的两种性质相反的病变状态，分别用"寒"、"热"来表示，根据中医"寒则热之，热则寒之"的治疗原则，食物的寒热温凉四种特性，可以相应地调整人体的寒热状态，从而治疗疾病。

偏热体质或热性疾病，可选用性质属寒的食品。瓜果蔬菜中性寒者偏多，如梨汁、藕汁、橘汁等，可用于清热、止渴、生津；西瓜、茶水等可清热、利尿；萝卜可治外感喉痛；小白菜、油菜能清热解毒；赤小豆、白扁豆可清热除湿等。

偏寒的体质或寒性疾病，可选用性质属热的食品。调味品中性热者偏多，如芫荽葱姜汤可温中发汗，可治风寒外感；胡椒、茴香可治胃寒痛；

小茴香和石榴皮煎服可治痢疾；大茴香炒焦研末加红糖调，以黄酒冲服，可治疗疝气疼痛等。

现代研究证明，大麦中含尿囊素，其溶液局部应用能促进化脓性创伤及顽固性溃疡愈合，胃炎及胃十二指肠球部溃疡患者在溃疡活动期多吃些大麦面食，对疾病有辅助治疗作用。燕麦含有多种能够降低胆固醇的物质，只要每日食用50克燕麦片，就可使每100毫升血中的胆固醇平均下降39毫克，甘油三酯下降76毫克，从而减少患心血管疾病的风险。动物实验证实荞麦中所含的芦丁，能激活胰腺功能，促进胰岛分泌，从而能降低血糖。一项最新调查还表明，主食荞麦地区的人群，其糖尿病患病率明显低于不食用荞麦地区的人群。

四、食物的长寿作用

《养老奉亲书》中说："高年之人，真气耗竭，五脏衰弱，全仰饮食为资气血。"注重养生保健，使机体功能协调，延缓衰老还是可能的，尤其是对于老年人，必须注意饮食的调养。

中医在饮食养生、抗衰防老方面，除了因时、因地、因人、因病之不同，做到辨证用膳，虚则补之，实则泻之外，还注重对肺、脾、肾的调理。根据我国民间长期积累的经验，而且具有一定科学价值的大众化抗衰老食品，有如下几种：

1. 荞麦

荞麦中的芦丁是黄酮类复合物，几乎对所有的中老年心脑血管疾病都有预防和辅助疗效。据有关调查显示，世界上一些以荞麦为主食的国家和地区，高血压发病率较低，如在喜马拉雅山南面山腰居住的尼泊尔居民，不仅大量摄食荞麦面，而且还吃荞麦的茎和叶，因此这里很少有人患高血压病，平均寿命高于本国的平均寿命。

2. 玉米

玉米的胚芽和花粉里含有大量维生素E，天然维生素E有促进细胞分裂、延缓衰老的作用，还能减轻动脉硬化和脑功能衰退。中老年人常吃玉米面和花粉食品，可延缓衰老。

3. 鱼类

鱼类含不饱和脂肪酸，有抗血栓和抗动脉硬化的作用。还能降低血清胆固醇、甘油三脂、低密度脂蛋白、极低密度脂蛋白，而且能升高高密度脂蛋白。如以鱼、贝等海产品为主食的爱斯基摩人几乎与各种心脑血管病和癌症等无缘。因此，每周吃鱼两次以上，能减少动脉硬化和冠心病的发病率。

4. 红薯

《本草纲目》载，红薯"可使人长寿少疾"。红薯含有黏液蛋白等多糖类物质，能保持心血管壁的弹性，可以提高人体免疫力，促进多余胆固醇排泄，防止动脉硬化，对降低心血管病的发病率有良好的作用。美国科学家发现，红薯还含有一种类似雌激素的成分，对保持人体的皮肤细腻、延缓人体衰老有益。红薯还含有食物纤维，有通导大便，排毒养颜的作用，从而减缓机体衰老。20 世纪 90 年代初，我国人口学者在考察长寿地区饮食生活时，认为长寿者除了生活有规律外，与常吃红薯有一定关系。

5. 茄子

茄子有两种营养物质是老年人最需要的。一是茄子的维生素 E 含量高，维生素 E 能增强细胞膜的抗氧化作用，抵抗有害自由基对细胞的破坏，能防治动脉硬化和心脑血管病，延缓机体衰老。二是维生素 P 含量高，维生素 P 能增强细胞的黏着力，促进细胞新陈代谢，保持机体正常生理功能，保护血管弹性，提高微循环功能，防治寿斑和皮肤干燥症。

6. 菌菇类

蘑菇等所含的各种多糖，具有多方面的生理活性和功能。有的多糖能激活 T 淋巴细胞、B 淋巴细胞和吞噬细胞，促使抗体形成，使机体对肿瘤细胞产生免疫功能，并能抵抗病毒的侵袭。由于免疫功能的恢复和增强有利于延缓衰老，老年人若经常食香菇、蘑菇等多糖食品，能加强自身的防御机能，抵抗疾病，延缓衰老。

7. 花生

花生含有不饱和脂肪酸、脑磷脂、卵磷脂和维生素 E。花生有增强记忆、延缓大脑衰老的功能，花生中还含有儿茶素，具有很强的抗老化功能，花生还有"长生果"之称。

8. 芝麻

芝麻所含的不饱和脂肪酸和卵磷脂能溶解血管壁上的胆固醇。芝麻还含有丰富的维生素 E，可促进细胞分裂，阻止体内产生过氧化脂质，从而维持细胞膜的完整和功能正常，可起到延缓衰老的作用。

9. 核桃

中医认为核桃为补肾益精之品，具有卓越的健脑效果，享有"长寿果"之称。核桃所含的微量元素锌、锰、铬等对保持心血管健康、内分泌功能、生殖功能以及增强人体内脏细胞活力都有重要作用。

10. 大枣

民间常说："日吃几颗枣，防病抗衰老。"国内外最新研究发现，大枣有抗癌、抗过敏、抗疲劳和扩张冠状动脉、保肝的作用，这对延缓衰老极为有利。

11. 枸杞子

枸杞子有抑制脂肪在肝细胞内沉积、促进肝细胞新生的作用，对肝脏有明显的保护作用。

12. 肉皮和猪蹄

肉皮和猪蹄含有极丰富的胶原蛋白质，经常食用，不仅可减少皱纹、促进生长发育，而且会收到补益精血、滋润皮肤、光泽头发、抗老防衰之效果。

13. 猪血

猪血富含蛋白质和铁，尤其含有血红素型铁。中老年人经常食用猪血，不仅精力充沛，而且能有效地延缓衰老。

14. 银耳

银耳含有 17 种氨基酸和多种维生素以及银耳多糖，具有补脾益气、生津润肺、提神健脑等作用。

15. 花粉

花粉含有维生素、氨基酸和天然的醇素酶等，特别是所含的黄酮类物质和抗生素，是抗衰延年的重要物质。

16. 火麻

火麻含有油酸、亚麻酸，还含有卵磷脂等成分。广西巴马人长期食用

粮食的营养与保健

火麻菜，身体健康，而且长寿者多，巴马人把火麻油称为"长寿油"。

17. 生姜

生姜中的姜辣素进入人体内后，能产生一种抗氧化酶，有很强的清除自由基的作用。所以，吃姜能抗衰老，老年人常吃生姜可消除老年斑。

18. 豆豉

日本医学家发现，豆豉含有大量能溶解血栓的尿激酶，还含有 B 族维生素和抗菌素，能有效改善脑血流量，对防治老年性痴呆有很大作用。

第二章 食物的性能与基本作用

第三章　食物的配伍与禁忌

第一节　食物的配伍

在日常生活中，单独应用一种食物来增加营养或治疗疾病的情况是很少见的，人们为增强食物的可食性，常常把不同的食物搭配起来食用，这种搭配关系，称为食物的配伍。另外，在食疗保健中，还存在着食物与药物配合的情况，这种搭配关系，称为食药配伍。

从营养学的角度而论，用食物调养疾病，并不是把几种食物简单地相加，而是在中医理论指导下，根据病情的需要和食性，按照一定的食养原则、配伍法度，将两种以上的食物配合。

配伍法度是遵循君、臣、佐、使的配方原则，将食物进行配制。其中起主要作用的食物为君，可由一种或两种以上的食物组成。如治疗慢性支气管炎的猪肺粥中，猪肺益肺气，薏米健脾气，二者共同发挥补脾益肺之功，均作为主料。起到辅助作用的食物为臣，以加强主料功效，或治疗兼症。如治疗肺结核的白木耳鸡蛋羹中，重用白木耳养阴润肺止咳为主料，配用鸡蛋为辅助料养阴润燥，以增强白木耳的功效。

食物的配伍，基本上分为协同与拮抗两个方面。食物的协同配伍方面包括"相须"和"相使";食物的拮抗配伍方面包括"相畏"、"相杀"、"相恶"和"相反"。

一、相须配伍

性能功效相类似的食物配伍使用，能够增强食物原有的功效或可食性。如用韭菜炒胡桃仁治疗阳痿，韭菜与胡桃仁均有温肾壮阳之功，协同使用，则壮阳之力增强；用菠菜猪肝汤治疗肝虚目昏，或夜盲症等，菠菜与猪肝均能养肝明目，相互配伍可增强养肝明目之功效；百合炖秋梨，百合与梨共奏清肺热、养肺阴之功效；雪羹汤中的荸荠与海蜇共奏清热化痰之功效；黄豆配谷类，黄豆蛋白质中所含必需氨基酸较全，尤其富含赖氨酸，正好补充谷类赖氨酸的不足，而黄豆中缺乏的蛋氨酸，又可从谷类得到补充。因此，我国人民一向以谷豆混食，以使蛋白质互补，这是有一定科学道理的。

二、相使配伍

一种食物为主，另一种食物为辅，辅助食物能增强主要食物的功效。如羊肝配菠菜，羊肝补肝明目的作用较强，菠菜也能养肝明目，可以增强羊肝补肝明目的作用。治风寒感冒的姜糖饮中，温中和胃的红糖，增强了生姜的温中散寒功效。胎盘配山药，胎盘补肾助阳，纳气定喘，山药养阴润肺，可以增强胎盘补肾定喘的作用。羊肉配胡萝卜，羊肉能温肾助阳，胡萝卜也能温里助阳，可以增强羊肉的温肾助阳作用，经常食用对改善妇女的手脚冰冷特别有效。

三、相畏配伍

一种食物的不良作用能被另一种食物减轻或消除。如扁豆中植物血凝素产生的不良作用能被蒜减轻或消除；某些鱼类引起腹泻、皮疹等不良反应，能被生姜减轻或消除；榴莲配山竹，被称为"水果皇后"的山竹，能降伏"水果之王"榴莲的火气，保护身体不受损害。

此外，现代认为大白菜中含有少量的会引起甲状腺肿大的物质，这种物质干扰了甲状腺对必需矿物质碘的利用。因此，食用一定量的碘盐、海鱼、海产品和海藻可以补充碘的不足。

四、相杀配伍

一种食物能减轻或消除另一种食物的不良作用。如大蒜可防治蘑菇中毒；橄榄能解河豚、鱼、蟹引起的轻微中毒；盐水浸泡菠萝，可消除菠萝的过敏物质；蕹菜可解钩吻、黄藤、砒霜、野菇中毒；蜂蜜、绿豆能解除某些食物的毒等。实际上相畏和相杀是同一配伍关系，是从不同角度的两种说法。

五、相恶配伍

即两种食物同用后，由于相互牵制，而使原有的功能降低甚至丧失。如牛奶与西兰花同食会影响牛奶中钙的吸收；甲鱼与芹菜同食可使甲鱼中蛋白质变性，影响其消化吸收；食用胡萝卜放醋，醋酸可破坏胡萝卜素，使其失去营养价值；西红柿中含大量维生素 C，而黄瓜中含有多量维生素 C 分解酶，将西红柿和黄瓜同时吃，可使西红柿中的维生素 C 遭到破坏；小葱与豆腐同食，可使豆腐中的钙与葱中的草酸结合成草酸钙，影响钙的吸收。

六、相反配伍

即两种食物合用时，能产生毒性反应或明显的副作用，形成了食物的配伍禁忌。据前人的经验，食物的配伍禁忌比药物的配伍禁忌（十八反、十九畏）还要多。例如：豆腐配蜂蜜易引起耳聋；绿豆配狗肉会引起中毒；苋菜配甲鱼易引起中毒；芹菜配鸡肉会伤元气；芹菜配兔肉易引起脱发；萝卜配橘子易患甲状腺肿；竹笋配豆腐易生结石；竹笋配羊肉易致腹痛；黄瓜配花生易伤害肾脏；菠菜配豆腐易引起缺钙；金针菇配驴肉易诱发心绞痛；虾配大枣生成砒霜有大毒；螃蟹配柿子会引起腹泻；牛肉配栗子会引起呕吐；鸡蛋配鹅肉会伤元气。

在日常饮食中，这类典型不协调的配伍，同时出现在食谱里的情况是常见的。但对食物的相恶、相反配伍，目前尚缺少科学实验的结论，有待加以研究。

在实际应用中，根据以上食物的配伍关系，可以决定食物的配伍宜忌。相须、相使的配伍关系，既能增强食物的功效，又可增强其可食性，这正是食疗所希望达到的效果。相畏、相杀可以减轻或消除食物的毒副作用，以保证安全膳食。相恶、相反的配伍关系，因能削弱食物的功效或可以产生毒副作用，都是对食疗不利的，故应当注意避免使用。

此外，还应当指出，人们习惯在做菜时加生姜、生葱、芫荽、花椒、辣椒、胡椒等作料，如果作料与食物的食性相反，不能一概认为是相恶配伍。如芫爆里脊中的芫荽，可防止猪肉滋腻碍胃；羊肉配芫荽可去腥味。再如炒苦瓜佐以少量的辣椒；薏苡粥中添加红枣；凉拌蔬菜时加入姜、葱、花椒、辣椒一类作料，因实际用量较少，主要是起到开胃、美食，增进食欲的作用。

总之，大多数情况下，食物通过配伍后，不仅可以增强原有的功效，而且还可以产生新的功效。因此，配伍使用食物较之单一的食物有更大的食疗价值和较广的适应范围。此外，也可改善食物的色、香、味、形，增强其可食性，提高人们的食欲。这是配伍的优越性，也是食物应用的较高形式。

第二节　食物的禁忌

中医饮食保健认为，食物的应用也有宜与忌两个方面，得当则为宜，而失当则为忌，饮食宜与忌的实质是强调饮食的针对性。

最早提出饮食宜忌的是《素问·宣明五气篇》所载"五味所禁"以及《素问·五藏生成篇》所载"五味之所伤"等。后世医家又在实践中不断加以发展总结，形成了大家所遵循的理论和学说。如汉代《金匮要略·禽兽鱼虫禁忌并治第二十四》中说："所食之味，有与病相宜，有与身为害，若得宜则补体，害则成疾。"元代《饮食须知》更强调："饮食藉以养生，而不知物性有相宜相忌，纵然杂进，轻则五内不和，重则立兴祸患。"故用相宜食味治病养身，谓之食养或食疗；而不相宜食物谓之食禁或食忌，俗称"禁口"或叫"忌口"。祖国医学根据几千年来的实践，在防病治病中提出不同的饮食宜忌，其总的原则是以食物的四气五味，来调整人体的阴阳偏胜，以达到调理疾病和护卫健康的目的。中医所指的饮食宜忌包括广义和狭义两种概念。广义的饮食宜忌概念涉及食物与体质、地域、季节、年龄、病情，以及饮食调配、用法、用量等方面。而狭义的饮食宜忌概念，仅包含食物配伍禁忌、病症的饮食宜忌、妊娠饮食禁忌等。

一、食物配伍禁忌

在日常生活中，有些食物的搭配组合已经是由来已久，其美妙的口味也被人们所接受，但是从营养保健的角度来讲有些是不科学的，长期食用可影响健康。食物配伍禁忌的内容繁多，为引起人们的饮食注意，主要列举以下几种：

1. 不宜与牛奶搭配的食物

（1）牛奶忌酸味果汁：如吃柑橘前后的 1 小时不宜喝牛奶，因柑橘中的果酸与牛奶中的蛋白质相遇后，即刻发生凝固、沉淀，难以消化吸收，严重者还可能导致消化不良或发生腹胀、腹痛、腹泻等症状。此外，吃橙子、山楂、柠檬和其果汁也同样如此。

（2）牛奶煮沸时忌加糖：牛奶中所含的赖氨酸在高温下与果糖结合成果糖基赖氨酸，不易被人体消化。食用后会出现肠胃不适、呕吐、腹泻的病症，影响健康。可煮好牛奶等稍凉后，再加糖不迟。

（3）牛奶忌巧克力：牛奶含有丰富的蛋白质和钙，而巧克力含有草酸，两者同食会结合成不溶性草酸钙，影响牛奶中钙的吸收。甚至出现头发干枯、腹泻、生长缓慢等现象。

（4）牛奶忌药物：由于牛奶容易在药物的表面形成覆盖膜，使奶中的钙、镁等矿物质与药物发生化学反应，形成非水溶性物质，从而影响药效的释放及吸收，因此，在服药前后 1 小时不要喝牛奶。

2. 不宜与豆浆搭配的食物

豆浆是一种老幼皆宜、价廉质优的液态营养品，可有时喝了豆浆会出现腹疼，甚至出现"中毒"症状，故喝豆浆应注意以下几点：一是应忌喝未煮熟的豆浆。因为豆浆中含有两种有毒物质，会导致蛋白质代谢障碍，

粮食的营养与保健

并对胃肠道产生刺激，引起中毒症状。如果饮用豆浆后出现头痛、呼吸受阻等症状，应立即就医，绝不能延误时机，以防危及生命。二是忌用保温瓶装豆浆。豆浆中有能除掉保温瓶内水垢的物质，在温度适宜的条件下，保温瓶内的细菌以豆浆作为养料会大量繁殖，经过 3~4 个小时就能使豆浆酸败变质。三是忌超量喝豆浆。一次喝豆浆过多容易引起蛋白质消化不良，出现腹胀、腹泻等不适症状。

不宜与豆浆搭配的食物有：鸡蛋、红糖、药物、瘦肉、鱼类等。

（1）豆浆忌鸡蛋：因为鸡蛋中的黏液性蛋白易和豆浆中的胰蛋白酶结合，产生一种不能被人体吸收的物质，从而失去二者应有的营养价值。

（2）豆浆忌红糖：豆浆加红糖则红糖里的有机酸和豆浆中的蛋白质结合后，可产生沉淀物，大大破坏了豆浆中的营养成分。

（3）豆浆忌药物：药物会破坏豆浆里的营养成分，如四环素、红霉素等抗生素。

（4）豆浆忌瘦肉、鱼类：豆类能与瘦肉、鱼类中的矿物质，如钙、铁、锌等结合，从而干扰和降低人体对这些元素的吸收。

此外，空腹饮豆浆会使豆浆里的蛋白质在人体内转化为热量而被消耗掉，不能充分起到补益作用。但饮豆浆的同时吃些面包、糕点、馒头等淀粉类食品，可使豆浆中蛋白质等在淀粉的作用下，与胃液较充分地发生酶解，使营养物质被充分吸收。

3. 不宜和猪肉搭配的食物

（1）猪肉忌牛肉：《饮膳正要》指出"猪肉不可与牛肉同食"。从食性来看，猪肉酸冷、微寒，有滋腻阴寒之性，而牛肉则气味甘温，能补脾胃、壮腰脚，有补中益气之功。二者一温一寒，一补益脾胃，一冷腻虚人，性味有所抵触，故不宜同食。

（2）猪肉忌羊肝：中医认为"猪肉共羊肝食之，令人心闷"。这主要是因为羊肝气味苦寒，能补肝、明目，治肝风虚热；猪肉滋腻，入胃便作湿热，从食性讲，配伍不宜。此外，从烹饪角度看，羊肝有膻气，与猪肉共同烹炒，则易生怪味。

（3）猪肉忌大豆：因为大豆中植酸含量很高，60%~80%的磷是以植酸形式存在的。植酸常与蛋白质和矿物质元素形成复合物，而影响二者的可利用性，降低利用效率，故猪肉与黄豆不宜搭配，猪蹄炖黄豆是不合适的搭配。

4. 其他食物配伍禁忌

（1）酒精忌咖啡：酒中的酒精具有兴奋作用，而咖啡中的咖啡因，同样具有较强的兴奋作用。两者同饮，对人产生的刺激甚大。如果是在心情紧张或是心情烦躁时这样饮用，会加重紧张和烦躁情绪；若是患有神经性头痛的人如此饮用，会立即引发病痛；若是患有经常性失眠症的人，会使病情恶化；如果是心脏有问题，或是有阵发性心跳过速的人，将咖啡与酒同饮，很可能诱发心脏病。一旦将二者同时饮用，应饮用大量清水或是在水中加入少许葡萄糖和食盐喝下，可以缓解一下不适症状。

（2）啤酒忌白酒：啤酒中含有大量的二氧化碳，容易挥发，如果与白酒同饮，就会带动酒精渗透。

（3）解酒忌浓茶：有些人在醉酒后，饮用大量的浓茶，试图解酒。殊不知茶叶中所含有的咖啡碱与酒精结合后，不但起不到解酒的作用，反而会加重醉酒的痛苦。减少酒精在体内的驻留，最好是多饮一些水，以助排尿。

（4）鲜鱼忌美酒：含维生素 D 高的食物有鱼、鱼肝、鱼肝油等，吃此类食物饮酒，会减少人对维生素 D 吸收量的 6～7 成。人们常常是鲜鱼佐美酒，殊不知这种吃法却丢了上好的营养成分。

（5）虾蟹类忌含维生素 C 的鲜果：虾、蟹等食物中含有五价砷化合物，如果与含有维生素 C 的生果同食，会令砷发生变化，转化成三价砷，也就是剧毒的"砒霜"，危害甚大。长期食用，会导致人体中毒，免疫力下降。

（6）菠菜忌豆腐：菠菜中所含的草酸，与豆腐中所含的钙产生草酸钙凝结物，阻碍人体对菠菜中的铁质和豆腐中蛋白的吸收。

（7）胡萝卜忌酒：胡萝卜和酒不能在短时间内同时食用，应该至少相隔 3 小时以上。因为胡萝卜中的 β 胡萝卜素与酒精一同进入人体，β 胡萝卜素会跟酒精在肝脏中产生毒素，对肝有害。特别是在饮用胡萝卜汁后不要马上去饮酒。此外，做菜时，胡萝卜里也不能放酒，否则也会对肝脏造成伤害。

（8）红萝卜忌白萝卜：白萝卜中的维生素C含量极高，但红萝卜中却含有一种叫抗坏血酸的分解酵素，它会破坏白萝卜中的维生素C。一旦红白萝卜配合，白萝卜中的维生素C就会丧失。不仅如此，红萝卜也不宜与其他含维生素C的蔬菜配合烹调。此外，胡瓜、南瓜等也含有类似红萝卜的分解酵素。

（9）西红柿忌黄瓜：生活中，很多人喜欢将黄瓜和西红柿一起食用，其实这是很不科学的，因黄瓜中含有维生素C分解酶，同食可使西红柿中的维生素C遭到破坏。

（10）煮鸡蛋忌茶叶：茶叶中除生物碱外，还有酸性物质，这些化合物与鸡蛋中的铁元素结合，对胃有刺激作用，且不利于消化吸收。

（11）炒鸡蛋忌放味精：鸡蛋本身含有许多与味精成分相同的谷氨酸，所以炒鸡蛋时放味精，不仅增加不了鲜味，反而会破坏和掩盖鸡蛋的天然鲜味。

二、病症的饮食禁忌

病症的饮食禁忌是根据病症的性质，结合食物的特性来确定的。早在秦汉时代就有《神农黄帝食禁》、《神农食忌》、《老子禁食经》等著作的出现，但原著佚失，内容不详。《内经》曾对各种不同疾病的饮食禁忌进行了阐述，除禁忌饮食五味过偏等外，《素问·热论篇第三十》还具体地指出："病热少愈，食肉则复，多食则遗（腹泻），此其禁也。"汉代的《五十二病方》及《武威医简》都有服药饮食宜忌的记载。唐代孙思邈《千金要方》指出："凡诸恶疮差后，皆百日慎口，不尔，即疮发也。"根据中医文献记载，把患病期间所忌食的食物高度概括为以下几类：

1. 患病期间的饮食禁忌

（1）忌生冷：冷饮、冷食、大量的生蔬菜和水果等，为脾胃虚寒腹泻患者所忌。

（2）忌黏滑：糯米、大麦、小麦等所制的米面食品等，为脾虚纳呆，或外感初起患者所忌。

（3）忌油腻：荤油、肥肉、煎炸食品、乳制品等，为脾湿或痰湿患者所忌。

（4）忌腥膻：无鳞鱼（平鱼、巴鱼、带鱼、比目鱼等）、虾、蟹、海味（干贝、淡菜、鲍鱼干等）、羊肉、狗肉、鹿肉等，为风热证、痰热证、斑疹患者所忌。

（5）忌辛辣：葱、姜、蒜、辣椒、花椒、韭菜、酒、烟等，为内热证患者所忌。

（6）忌发物：发物是指能引起旧疾复发，新病增重的食物。除上述腥膻、辛辣食物外，尚有一些特殊的食物，如荞麦、豆芽、苜蓿、鹅肉、鸡头、鸭头、猪头、驴头肉等，为哮喘、动风、皮肤病患者所忌。芫荽为扁桃体肿大者所忌。

另外，个别疾患，如麻疹初起可适量食用发物，如豆芽、芫荽等，以利透发等，均属例外情况。

2. 病症的饮食禁忌

病症的饮食禁忌是根据病证的寒热虚实、阴阳偏胜，结合食物的四气、五味、升降浮沉及归经等特性来加以确定的。

（1）寒证：忌用寒凉、生冷食物。

（2）热证：忌食温燥伤阴的食物。

（3）虚证：阳虚者宜温补，忌用寒凉，故不宜过食生冷瓜果及性偏寒凉的菜肴、食物；阴虚者宜清补，忌用温热，故不宜吃一切辛辣刺激性食物，如酒、葱、大蒜、辣椒、生姜之类。

由于虚证患者多数有脾胃功能的减退，难于消化吸收，因此也不宜吃肥腻、油煎、质粗坚硬的食物，食物应以清淡而富有营养为宜。

（4）实证：是指病实邪实而言，如热证、寒证中都有实证，在虚证中也有正虚邪实的。饮食宜忌也要根据辨证情况标本兼治或者急则治其标，缓则治其本，抓住主要矛盾才能配合食治而获良效，如水肿忌盐、消渴忌糖，是最具针对性的食治措施。

此外，急性胃炎和慢性浅表性胃炎患者不宜食用豆制品，因豆类中含有一定量低聚糖，可以引起嗝气、肠鸣、腹胀等症状。有胃溃疡者也应少吃，以免刺激胃酸分泌过多加重病情，或者引起胃肠胀气。

肾功能衰竭的病人需要低蛋白饮食，而豆类及其制品富含蛋白质，其代谢产物会增加肾脏负担，故应禁食。

粮食的营养与保健

肾结石患者也不宜食用豆类，因豆类中的草酸盐可与肾中的钙结合，易形成结石，会加重肾结石的症状。

痛风是由嘌呤代谢障碍所导致的疾病。黄豆中富含嘌呤，且嘌呤是亲水物质，黄豆磨成浆后，嘌呤含量比其他豆制品多出几倍。所以，痛风病人不宜食用豆浆。

3. 服药饮食禁忌

病人服药时有些食物对所服之药有不良的影响，则应忌服，也有某些食物可以增进药物作用的发挥。清代章杏云所著《调疾饮食辩》一书"发凡"中云："病人饮食，藉以滋养胃气，宣行药力，故饮食得宜足为药饵之助，失宜则反与药饵为仇。"这一认识是颇为正确的。例如能与柚子产生相互作用的药物很多，像他汀类药物，如洛伐他汀、血脂康、立普妥；钙拮抗剂类，如硝本地平、尼莫地平、尼索地平、费乐地平、维拉帕米、地尔硫草等；安定类，如舒乐安定、佳乐定、氯氮平；抗组胺药，如特非那丁；免疫抑制剂，如环孢素 A；咖啡因、避孕药等中枢兴奋剂，西沙必利等胃肠药，柚子都可以使以上药物作用加强或者失效。专家指出，在服用这些药物时，只要饮用一杯柚子汁，就可能引起不良反应，甚至发生中毒。因此，服药时千万别吃柚子或饮柚子汁，尤其是老年病人。再如银杏叶制剂不要与阿司匹林、扑热息痛、麦角胺、咖啡因、噻嗪类利尿药同服，以免引起不良反应；银杏叶也不能与茶叶和菊花一同泡茶喝。银杏内含有大量的银杏酸，银杏酸是含有毒性的；一般买来的叶子未经过深加工和提取，里面的银杏酸含量很高，银杏酸是水溶性的，泡水不但没有吃到银杏的银杏黄铜和银杏内脂等有效物质，反而效果相反。

此外，在古代文献上有甘草、黄连、桔梗、乌梅忌猪肉；薄荷忌鳖肉；茯苓忌醋；鳖鱼忌苋菜；鸡肉忌黄鳝；天门冬忌鲤鱼；白术忌大蒜、桃、李；人参忌萝卜；土茯苓忌茶等。

但对饮食宜忌不能绝对化，要具体病情具体分析，如水肿忌盐，中医列为五不治之一，但有时也由此引起钠减、体倦而虚损，即长期忌盐引起的低钠血症。进而正气不足而病情难以好转，故水肿不重的病人不宜绝对忌盐。小儿麻疹过度忌食，可致营养不良。

三、孕期和产后饮食禁忌

1. 孕期饮食禁忌

孕期母体气血注于冲任经脉，以养胎元。此期孕妇大多阴血偏虚，阴虚则滋生内热，因此孕妇往往有大便干燥、口干等肝经郁热的症状。因此应避免进食辛辣、腥膻之品，以免进一步耗伤阴血而影响胎元。可进食甘平、甘凉之品。

孕期常见的禁忌食物主要有：桂圆、荔枝、甲鱼、薏苡仁、山楂、马齿苋、黑木耳等。

（1）桂圆：甘温大热，一切阴虚内热体质及热性病均不宜食用，孕妇多吃桂圆，极易出现漏红、腹痛等先兆流产症状。

（2）甲鱼：有滋补肝肾作用，对一般人来说，它是营养丰富、滋阴强身的菜肴，但是甲鱼性味咸寒，具有较强的通血络、散淤块作用，因而有堕胎之弊。

（3）薏苡仁：对子宫肌有兴奋作用，能促使子宫收缩，因而有诱发流产的可能。

（4）山楂：怀孕后常有恶心、呕吐、食欲不振等，喜欢吃一些酸性果品。虽然山楂酸甜可口，并有开胃消食的作用，是孕妇喜欢的果品。但是，山楂对子宫有一定的兴奋作用，可促使子宫收缩。如果孕妇大量食用山楂及山楂制品，可能造成流产。因此有过流产史或有先兆流产的孕妇，应忌食山楂。

（5）马齿苋：对子宫有明显的兴奋作用，使子宫收缩增多、强度增大，易造成流产。

（6）黑木耳：学名桑耳，虽然有滋养益胃的作用，同时又具有活血化淤之功，不利于胚胎的稳固和生长。

此外，对妊娠恶阻的孕妇应避免进食油腻之品，可食用健脾、和胃、理气之类食物。妊娠后期，由于胎儿逐渐长大，影响母体气机升降，易产生气滞现象，故应少食胀气和涩肠类食物，如荞麦、高粱、番薯、芋头等。

2. 产后饮食禁忌

中医学认为，"产后必虚"，产后多淤。产妇多表现阴血亏虚或淤血内停等征象，另外产妇还要以乳汁喂养婴儿，因此，产后的饮食原则应以平补阴阳气血，尤以滋阴养血为主，可进食甘平、甘凉类粮食、畜肉、禽肉和蛋乳类食品，慎食或忌食辛燥伤阴，发物、寒凉生冷食物。

第三章 食物的配伍与禁忌

第四章　各类粮食的营养与保健

粮食多为植物的种仁，是谷物的泛称，是人体热能的主要来源，也是我国人民日常生活的主食。

粮食按照植物的系统可分为谷类、豆类和薯类。谷类包括稻谷、小麦、大麦、燕麦、荞麦、粟、黍、玉米、高粱、薏米等，其中稻谷、小麦、玉米是我国重要的粮食；豆类包括大豆及作粮食用的绿豆、红小豆、豌豆、蚕豆、豇豆、鹰嘴豆、利马豆、黎豆、木豆等；薯类包括甘薯、马铃薯等。根据目前商品市场，将薯类放在蔬菜部分讲述。

粮食富含糖类、蛋白质、B族维生素（特别是维生素 B_2 和尼克酸的重要来源），含脂肪较低，多集中于谷胚和谷皮部分，无机盐也较少。粮食在营养方面最大的作用是供给热能，每 50 克粮食可提供热能达 720 千焦耳，所以粮食是平时生活中热能的主要来源。

古人言"五谷为养"，不同的粮食，营养价值也不尽相同，大豆类富含优质蛋白；小米富含色氨酸、胡萝卜素；高粱含脂肪酸高，还有丰富的铁。这些营养素都是人体不可缺少的。

粮食还有药用价值，如玉米被公认为是世界上的"黄金作物"，玉米含有较多的亚油酸、多种维生素、纤维素和多种矿物质，特别是含镁、硒丰富，具有综合性的保健作用。近年来发现玉米含有一种长寿因子——谷胱甘肽，它在硒的参与下，可生成谷胱甘肽氧化酶，这种成分有延缓衰老的作用。荞麦中所含烟酸和芦丁都是治疗高血压的药物，并对血管有保护作用。经常食用荞麦对糖尿病也有一定疗效。燕麦有抑制胆固醇升高的作用，燕麦所含的多种酶类有较强的活力，能够延缓细胞的衰老。绿豆有利尿消肿、中和解毒及解暑作用。黄豆经常食用，可有效地降低血清胆固醇，大豆中的磷脂可以清除留在血管壁上的胆固醇，从而维护血管的软化，并可防止肝脏内积存过多的脂肪。科学家在黄豆内发现的某种激素成分——"同黄素"能够舒缓女性的更年期症状。

此外，燕麦、荞麦、大麦、黑米、红小豆等可明显缓解糖尿病病人餐后高血糖状态，减少 24 小时内血糖波动，降低空腹血糖，有利于糖尿病病人的血糖控制。

粮食大多数味甘性平，少数偏凉或偏温，有益气健脾，补肾养血之效，可治疗营养缺乏所致的气虚、血虚、肾虚诸症。平时可以养生，病时又可疗病。

粮食是我国的主食，也是膳食中蛋白质的主要来源。但谷类中蛋白质的主要缺陷是赖氨酸含量较低，因此限制了谷类蛋白质的充分利用，也影响了谷类蛋白质的营养价值。而豆类，尤其是大豆，不仅蛋白质含量高，而且赖氨酸含量也很高，比米、面高 10 倍左右。所以豆类与谷类混合食用，可以互相取长补短，提高了谷类蛋白质的营养价值。实际上人们早就使用了这一膳食搭配，来提高食物的营养价值，如北方吃的杂合面就是玉米和黄豆的混合面。

现代营养提倡吃粗粮，粗粮是指除稻米、小麦以外的其他粮食，如玉米、小米、燕麦、荞麦、高粱、薯类等。从理论上讲粗粮的营养价值并不比细粮高出许多，那为什么要强调吃粗粮呢？这是因为现在人们主要吃的是精米精面，吃粗杂粮太少了，主食不够多样化，不符合平衡膳食的营养原则。所以强调多吃粗杂粮的前提，首先是要保证主食的多样化。像一些目前尚未解决温饱的贫困地区，他们的主食几乎全部是粗杂粮，这在营养上也绝不是什么好事，因为他们的主食同样不够多样化，同样不符合平衡膳食的原则，只不过这时应该强调的是多吃细粮。对中国绝大多数已经解决温饱、正在奔小康或已经小康了的居民来说，他们有足够的择食余地，这时营养知识可以指导他们避免营养过剩导致的所谓"富贵病"或"文明病"，多吃粗杂粮就是其中一个好的建议。

第四章　各类粮食的营养与保健

第一节 谷 类

谷类主要是指稻米、小麦、大麦、燕麦、荞麦、粟、黍、玉米、高粱、薏米等。谷类食品在我国膳食构成中占有重要的地位，是人们日常生活中的主要食物。

谷类种子的结构由外向内分为谷皮、谷膜、谷胚、谷体4部分。谷皮是谷粒的最外层，主要由纤维素和半纤维素组成，含有较高的灰分和脂肪、蛋白质和B族维生素，谷皮中B族维生素的含量占了全谷粒含量的绝大部分。谷膜又叫糊粉层，即紧挨谷皮内层的一层结构，谷膜含有丰富的B族维生素和较多的磷等无机盐。谷胚又叫胚芽，即谷粒发芽的部位，谷胚所含B族维生素特别丰富。谷体又叫胚乳，是谷粒的主要部分，占谷粒总重量的83%。也是供给种子生长的营养部分。谷体的主要营养素为淀粉，是谷类热能的主要来源。

谷类的营养价值取决于所含营养素的种类、数量和质量。谷类的主要营养成分为碳水化合物、蛋白质、维生素、无机盐，还含有少量脂肪及大量食物纤维。谷类所含营养素有如下特点：

1. 谷类碳水化合物含量丰富

谷类碳水化合物的含量都在70%以上，其存在的主要形式是淀粉，还有少量糊精、果糖和葡萄糖。淀粉在烹调过程中因受热在水中溶胀、分裂、发生糊化作用，变的容易为人体消化吸收，是人类最理想、最经济的热能来源。在我国人民的膳食中，有70%~80%的热能，是由谷类供给的。但是谷类淀粉的结构因其葡萄糖分子聚合的方式不同，有直链淀粉与支链淀粉之分。直链淀粉较易溶于水、黏性差、容易消化；而支链淀粉黏性大，较难消化。如糯米即以支链淀粉为主。

2. 谷类蛋白质的生物价较低

谷类并不富含蛋白质，蛋白质的含量一般在7%~16%之间，但由于我国人民每天吃的主食以谷类较多，从谷类中摄取的蛋白质约占每日所需量的 50% 左右，所以谷类也是机体蛋白质的主要来源。但是，谷类除黑糯米外，其余谷类的蛋白质含赖氨酸较少，尤其是小米和小麦中赖氨酸最少，而亮氨酸又往往过剩，造成蛋白质的氨基酸不平衡，这是谷类蛋白质营养价值不高的主要原因。

谷类蛋白质除了均缺乏赖氨酸外，小麦蛋白质还缺乏苏氨酸，玉米蛋白质缺乏色氨酸，因此它们的生物价比较低，小麦粉仅为 52，玉米为 60。大米蛋白质氨基酸的组成除赖氨酸、异亮氨酸和苏氨酸略微不足外，其余各种必需氨基酸都比较丰富，因此大米蛋白质的营养价值高于小麦，其生物价为 77，不但居主要谷类食物的第二位，而且和许多动物性蛋白质，如鱼、虾、肉等不相上下。但是，尽管小麦蛋白质的生物价低于大米等，但由于小麦的蛋白质含量较高，粗蛋白质含量达 10% 左右，大米仅为 8% 左右，因此小麦粉能比其他谷类食物为人体提供更多的蛋白质，其数量上的优势足以弥补质量的不足。因此，把多种粮食混合食用，可以起到蛋白质的互补作用，可提高谷类蛋白质的营养价值。

3. 谷类脂肪营养价值高

谷类中脂肪含量一般都不高，一般占子粒重量的 1%～2%，数量虽少但营养价值高。小麦胚芽油中的不饱和脂肪酸占 80% 以上，其中 60% 为必需脂肪酸亚油酸；玉米油中不饱和脂肪酸的含量为 80% 以上，其中 50% 为亚油酸；谷类油脂中还含有丰富的卵磷脂和植物固醇。

谷类脂肪还使其制品在蒸制后产生一种特有的香气。但是在谷类粮食的长期贮存中，由于空气中氧的作用，脂肪会发生氧化酸败现象，使谷类食物的香气消失或减少，并产生令人不快的陈味。因此脂肪的氧化是粮食陈化的重要原因之一。

4. 谷类维生素的保存率和吸收率低

谷类不含胡萝卜素（黄色玉米例外）和维生素 C，但谷类含丰富的 B 族维生素，特别是维生素 B_1 和维生素 pp 的含量相当丰富，是膳食中 B 族维生素的重要来源，其次还含有维生素 A 和维生素 E 等。

大米在烹调之前的淘洗，要损失 29%～60% 的维生素 B_2、23%～25% 的维生素 B_2，米越精白、搓洗次数越多、水温越高、浸泡时间越长，维生素的损失就越严重。玉米中的尼克酸主要以结合型存在，只有经过适当的烹调加工，才能被人体吸收利用。如用碱处理，使之变为游离型的尼克酸，才能被人体吸收利用，若不经处理，以玉米为主食的人群就容易发生尼克酸缺乏症而患癞皮病。

5. 谷类无机盐的保存率与吸收率低

谷类食物均含有一定数量的无机盐元素，为 1.5% ~ 3%，大部分集中在谷皮、糊粉层和胚中。其中以磷为最多，约占 50% ~ 60%。

大米在烹调之前经过淘洗，会损失掉 70% 的无机盐。大米蛋白质的含量又比较低，钙与磷的比值小，并且不含维生素 D 等能帮助人体吸收钙的营养素，所以钙在人体中的吸收利用率较低；小麦中铁和钙的含量略高于大米，而且小麦粉在加工成食物的过程中，不必像大米那样经过淘洗，加热的时间又较短，所以无机盐的保存率较高。

一般谷类中都含有植酸，它能和铁、钙、锌等人体必需的无机盐元素结合，生成人体无法吸收的植酸盐，所以人体对谷类中无机盐的吸收利用率很低。但由于小麦粉常是经发酵后蒸制成馒头或烤制成面包供人食用的，因此小麦粉中的植酸在发酵过程中，大部分被水解而消除。又由于小麦粉蛋白质含量丰富，消化时水解为氨基酸，能与钙等无机盐元素形成人体易于吸收的可溶性盐类，而有利于人体的吸收利用。

6. 非营养性成分纤维素丰富

膳食纤维是不能被人体胃肠道消化吸收的，因为不能被消化和吸收，所以它不属于通常的营养成分。但可以减少肠道对胆固醇的吸收，降低胆固醇水平。膳食纤维进入胃肠后吸水膨胀呈凝胶状，增加食物的黏滞性，延缓食物中葡萄糖的吸收，防止了餐后血糖急剧上升。由于膳食纤维能吸水膨胀，使大便变软变松，并且能促进肠道蠕动，起到通便的作用，促进食物残渣排出体外。也缩短了许多毒物在肠道中的停留时间，减少了肠道对毒物的吸收。膳食纤维还可与致癌物质结合，因此具有良好防癌作用。即纤维素具有降脂、降糖、通便、解毒、防癌等药用价值。正是因为它对人体健康具有很多不可取代的作用，所以被称为"第七营养素"。

谷类大多数性味甘平，少数谷类偏凉或偏温，有益气健脾之效，可治疗营养缺乏所致的气虚、脾虚诸症。平时可养生，病时则可养病。

谷类是我国居民膳食中维生素的重要来源。精制大米和面粉，由于谷

粮食的营养与保健

胚和谷皮被碾磨掉，使维生素含量明显减少。故食用谷类食品应注意两点：一是为了提高膳食中谷类的营养价值，可以采取多种粮食混合食用，如谷类与豆类和薯类混合食用。二是为了减少谷类 B 族维生素和无机盐的丢失，粮食碾磨和加工不可过度精细。

一、稻　米

稻米为禾本科一年生稻属植物稻的颖果，稻起源于亚洲和非洲的热带和亚热带地区。中国是世界上水稻栽培历史最悠久的国家，可以追溯到公元前的大约 5000 年。据浙江余姚河姆渡发掘考证，早在距今 7000 年以前这里就已种植水稻，目前许多学者认为浙江杭州湾附近的平原可能是水稻的起源地。

在周代，稻谷由我国传入朝鲜、越南；汉代时又传入日本。印度开始种植稻谷比我国晚一千多年。5 世纪时，稻谷经伊朗传入巴比伦，然后经非洲传到欧洲。四百多年前，稻谷由哥伦布带入美洲。如今稻谷已遍布全球，成为占世界粮食总产量 25% 的重要作物。

现在稻的主要生产国是中国、印度、日本、孟加拉国、印度尼西亚、泰国和缅甸。其他重要生产国有越南、巴西、韩国、菲律宾和美国。目前，我国仍是产稻谷最多的国家，总产量居世界第一，种植面积居世界第二。在不同的地区，稻米一年中收成的次数也是不同的。在东南亚、中国华南地区及台湾等纬度较低的地区，稻米一年能收成三次；中国长江流域一年能收成两次；而在中国北方、朝鲜半岛、日本等纬度较高的地区稻米一年只能收成一次。

（一）稻米的品种分类

水稻有栽培稻和野生稻。栽培稻是从野生稻演化发展来的。野生稻属野生种的泛称，通常还包含野生种与栽培种、天然杂交形成的杂草型后裔。

稻属的种类有 22 个，其中有 2 个是栽培稻种，即非洲栽培稻（又名光身稻）、亚洲栽培稻（又名普通栽培稻）。在剩余的 20 个野生稻种中，迄今在中国仅发现 3 种，即普通野生稻、药用野生稻和疣粒野生稻。分布范围很广，南起海南省崖县（N 18°09′），北至江西省东乡县（N 28°14′），

第四章　各类粮食的营养与保健

西至云南省盈江县（E 97°56′），东起台湾省桃园（E 121°15′）。南北跨纬度10°05′，东西跨经度23°19′。在这三种野生稻中，以普通野生稻与亚洲栽培稻的亲缘关系最为接近，杂交亲和性好，杂种结实正常。

稻是人类的主要粮食作物，据知目前世界上可能有超过14万种的稻，而且科学家们还在不停地研发新稻种，因此稻的品种究竟有多少，是很难估算的。有以非洲稻和亚洲稻作分类的，较简明的分类还是依稻谷的淀粉成分来粗分。稻米的淀粉分为直链及支链两种。支链淀粉越多，煮熟后黏性会越高。

1. 籼稻和粳稻

籼稻（Indica rice）：有20%左右为直链淀粉，属中黏性。籼稻起源于亚热带，种植于热带和亚热带地区，生长期短，在无霜期长的地方一年可多次成熟。去壳成为籼米后，外观细长、透明度低，煮熟后米饭较干松，通常用于米粉、炒饭。有的品种表皮发红，如中国江西出产的红米。

粳稻（Japonica rice）：粳稻的直链淀粉较少，低于15%。种植于温带和寒带地区，生长期长，一般一年只能成熟一次。去壳成为粳米后，外观圆短、透明（部分品种米粒有局部白粉质）。煮食特性介于糯米与籼米之间，用途一般是做米饭。

籼稻和粳稻是长期适应不同生态条件，尤其是温度条件而形成的两种气候生态型，两者在形态生理特性方面有明显差异。在世界产稻国中，只有我国是籼粳稻并存，而且面积都很大，地理分布明显。籼稻主要集中于我国华南热带和淮河以南亚热带的低地，分布范围较粳稻窄。籼稻具有耐热、耐强光的习性，它的植物学特性为粒形细长，米质黏性差，叶片粗糙多毛，颖壳上茸毛稀而短以及较易落粒等，都与野生稻类似，因此，籼稻是由野生稻演变成的栽培稻，是基本型。粳稻分布范围广泛，从南方的高寒山区——云贵高原到秦岭——淮河以北的广大地区均有栽培。粳稻具有耐寒、耐弱光的习性，粒形短圆，米质黏性较强，叶面少毛或无毛，颖毛长密，不易落粒等特性，与野生稻有较大差异。因此，可以说粳稻是人类将籼稻由南向北，由低向高引种后，逐渐适应低温的变异型。

2. 早、中、晚稻

早、中、晚稻的根本区别在于对光照反应的不同。早、中稻对光照反应不敏感，在全年各个季节种植都能正常成熟。晚稻对短日照很敏感，严格要求在短日照条件下才能通过光照阶段，抽穗结实。晚稻和野生稻很相似，是由野生稻直接演变形成的基本型。早、中稻是由晚稻在不同温光条件下分化形成的变异型。北方稻区的水稻属早稻或中稻。

3. 非糯稻与糯稻

糯稻中支链淀粉含量接近100%，黏性最高。又分粳糯及籼糯，粳糯外观圆短，籼糯外观细长，颜色均为白色不透明。煮熟后米饭较软、黏。通常粳糯用于酿酒、米糕。籼糯用于制八宝粥、粽子。

我国做主食的为非糯米，做糕点或酿酒用糯米，两者主要区别在米粒黏性的强弱，糯稻黏性强，非糯稻黏性弱。黏性强弱主要决定于淀粉结构，糯米的淀粉结构以支链淀粉为主，非糯稻则含直链淀粉多。当淀粉溶解在碘酒溶液中，能看出非糯稻吸碘性大，淀粉变成蓝色，而糯稻吸碘性小，淀粉呈棕红色。一般糯稻的耐冷和耐旱性都比非糯稻强。

4. 水稻与陆稻

在稻米分类学上，根据稻作栽培方式和生长期内需水量的多少，有水稻和陆稻之分。水稻、陆稻形态上差异较小，主要品种一样有籼、粳两个亚种，但生理上差异较大。水稻、陆稻均有通气组织，但陆稻种子发芽时需水较少，吸水力强，发芽较快；陆稻的茎叶保护组织发达，抗热性强；根系发达，根毛多，对水分减少的适应性强。

水稻主要种在水田里，水稻则又分灌溉稻（依靠灌溉）、天水稻（完全依靠雨水）、深水稻（长在深水里）等。我国水稻基本上都是灌溉稻。深水稻则是一种适宜于经常淹大水的地方，这种稻的茎节会随水位升高而伸长它的茎秆，不怕水淹。但有些水稻可在旱地直接栽种（但产量较少），也能在水田中栽种。

陆稻主要是种植于旱地，靠雨水或只辅以少量灌溉，一生灌水量仅为水稻的1/10～1/4。但有些品种既可作陆稻，也可作水稻栽培。陆稻具有很强的抗旱性，就算缺少水分灌溉，也能在贫瘠的土地上结出穗来。

陆稻适于低洼易涝旱地、雨水较多的山地及水源不足的稻区种植。但陆稻产量一般较低，北方稻区只有少量陆稻栽培。目前陆稻已成为人工杂交稻米的重要研究方向。

5. 杂交稻

杂交稻是指两个遗传性不同的水稻品种间，通过异花授粉杂交产生的种子基因型杂合的一类水稻。其生长过程中具有强的杂种优势，产量较基因型纯合的常规稻要高，但后代不能留种。杂交稻分为籼型杂交稻和粳型杂交稻。籼型杂交稻碾制的米为杂交籼米，粳型杂交稻碾制的米叫杂交粳米。我国目前的杂交稻主要为杂交籼稻，占95%左右，杂交粳稻仅占5%左右，但近年有所发展。杂交米与常规米外观上较难区分，食味各有偏好。

6. 香稻

香米是指稻米自身含有香味物质，其香味强度超过人对香味的识别阈，在蒸煮或生熟品尝过程中，能够散发令人敏感的香味。如黑米、紫米、红米等有色米多具有香味，属有色香米类；山东明水的香稻，属无色香米类，过去被视为米中珍品，向历代皇帝进贡；印度的稻米之王称为"印度香米"（Basmati），是香稻的代表品种，出产于印巴交界地区，特色是形状细长，具有浓郁的米香。

香稻在我国的最早记载见于汉代，魏文帝曹丕形容香稻"上风吹之，五里闻香。"南宋词人辛弃疾在夜过江西上饶农村沿途时吟诗道："明月别枝惊鹊，清风半夜鸣蝉。稻花香里说丰年，听取蛙声一片。"

香米的香味很浓，煮饭时只需用少许香米掺入普通米里，煮出来的饭就够香了。如果像普通米那样煮饭，香味太浓反而不好闻，也不好吃了。

此外，中国著名的小站稻主产于天津市，它是在袁世凯小站练兵时引进的品种在小站地区试种成功，后来经天津南郊的高庄子李氏大地主改良后成为今天的小站稻，它口味好，成饭后松软可口，成为天津的主要粮食产品之一。

稻谷按生长环境分为水稻和旱稻，按生长期可分为早稻、中稻、晚稻；按稻粒性质可分为籼稻、粳稻、糯稻。它们的通俗名称也很多，如水稻、灌溉稻、天水稻、深水稻、旱稻、陆稻、籼稻、粳稻、糯稻、黑稻、紫稻、红稻、香稻等，但稻的名称不管怎么多，它们在分类上都分属于籼和粳两个亚种（sub species）。

粮食的营养与保健

（二）稻米的营养保健

1. 籼米

【基原】为禾本科植物籼稻的种子，即籼米是用籼型非糯性稻谷制成的米。

籼稻适宜生长于高温、强光和多湿的热带、亚热带地区，耐寒性弱。籼稻的叶片较宽，叶色淡绿，分蘖力较强，谷粒细长，稍扁平，成熟时易落粒。在我国主要分布于南方地区，四川、湖南、广东等省所产的大米主要是籼米。

籼米米质较轻，黏性小，碎米多，胀性大，出饭率高，蒸出的米饭较膨松。按其粒质和籼稻收获季节分为早籼米和晚籼米。早籼米：腹白较大，硬质颗粒较少；晚籼米：腹白较小，硬质颗粒较多。

【异名】南米、机米，以中熟者为佳，晚熟次之。

【营养保健】籼米含有大量淀粉，其次为蛋白质、脂肪，此外，也含有单糖、有机酸、B族维生素，其蛋白质、磷、镁、钾的含量较粳米高。

每 100 克标准籼米（机米）含可食部 100%，水分 12.6 克，能量 1452 千焦，蛋白质 7.9 克，脂肪 0.6 克，碳水化合物 78.3 克，膳食纤维 0.8 克，灰分 0.6 克，维生素 B_2 0.09 微克，维生素 B_2 0.04 毫克，尼克酸 1.4 毫克，维生素 E 0.54 毫克，钙 12 毫克，磷 112 毫克，钾 109 毫克，钠 1.7 毫克，镁 28 毫克，铁 1.6 毫克，锌 1.47 毫克，硒 1.99 微克，铜 0.29 毫克，锰 1.27 毫克。

【食性】甘，温。归脾、胃经。

【功效】利小便，止烦渴，养肠胃。

【饮食调养】《本草纲目》曾记载，"籼米粥，甘温，利小便，止烦渴，养肠胃，故蒸或煮食皆养人。"籼米粗于粳米，药效同于粳米。

【饮食注意】籼米主要用于制作干饭、稀粥；磨成粉后，也可制作小吃和点心。用籼米粉调成的粉团，质硬，能发酵使用。

【按语】籼米的营养成分与粳米相比，差异极小。习惯上将籼米与粳米统称为大米。我国大米以籼米为多。

2. 粳米

【基原】为禾本科植物粳稻的种子，即粳米是用粳型非糯性稻谷制成的米。

粳稻耐寒性较强，适宜在温带和热带高地生长。粳稻的叶片较窄，色浓绿，分蘖力较弱；谷粒短圆，稍宽厚，成熟时不易落粒；主要产区集中在浙江、江苏、安徽等省。各地又有一些名稻米，例如广东增城的"丝苗米"，江西石城的"贡米"，天津小站的"油米"、北京的京畿稻等。此外，河北唐山、陕西洋县、山西晋祠、河南鸡笼山等地的稻米也都是很有名气的。

粳米米质好，黏性大，胀性小，出饭率低，蒸出的米饭较黏稠。按其粒质和粳稻收获的季节分为早粳米和晚粳米。早粳米：腹白较大，硬质颗粒较少；晚粳米：腹白较小，硬质颗粒较多。

【异名】粳米通常叫"元粒大米"。

【营养保健】粳米的主要营养成分为淀粉，其次是蛋白质，脂肪的含量较少，含有少量 B 族维生素，并含有乙酸、延胡索酸、琥珀酸、甘醇酸、柠檬酸、苹果酸等有机酸，还含有葡萄糖、果糖、麦芽糖等单糖。粳米品种不同，营养成分也不同，但是差异微小。

每 100 克粳米中含可食部 100%，水分 13.2 克，能量 1452 千焦，蛋白质 8 克，脂肪 0.6 克，碳水化合物 77.7 克，膳食纤维 0.4 克，灰分 0.5克，维生素 B_2 0.22 微克，维生素 B_2 0.05 毫克，尼克酸 2.6 毫克，维生素 E 0.53 毫克，钙 3 毫克，磷 99 毫克，钾 78 毫克，钠 0.9 毫克，镁 20 毫克，铁 0.4 毫克，锌 0.89 毫克，硒 6.4 微克，铜 0.28 毫克，锰 0.77毫克。

【食性】甘，平。归脾、胃经。

【功效】补中益气，健脾和胃，除烦渴；外用，止痛消肿。

【饮食调养】《本草纲目》记载："六、七月收者为早粳，只可入食；八、九月收者为迟粳，十月收者为晚粳。北方气寒，粳性多凉，八、九月收者，即可入药；南方气热，粳性多温，惟十月晚稻气凉，乃可入药。"又云"粳米粥，利小便"，"炒米汤，益胃除湿"。粳米粥具有补脾、和胃、清肺的功效，是老弱妇孺皆宜的饮食，尤其对病后脾胃虚弱或有烦热口渴的病人更为适宜。粳米粥用来养生，被誉为"资生化育神丹"。《紫林方》记载，用大米汤加食盐少许，空腹服下，可治男性少精不孕，久服，其精

粮食的营养与保健

自浓。

中医治病常以粳米加入方药内，张仲景《伤寒论》中的白虎汤曾用粳米。《本草蒙筌》曰："稻米，伤寒方中亦多加入，各有取义，未尝一拘。少阴证，桃花汤每加，取甘以补正气也；竹叶石膏汤频用，取甘以益不足焉；白虎汤入手太阴，亦同甘草用者，取甘以缓之，使不速于下尔。"

【饮食注意】若经常以精米为主食，可减少无机盐和维生素的摄入，便会引起维生素 B_1 缺乏症——脚气病。此外，粥饭虽是补人之物，但是过量与偏食也不适宜。

【按语】用粳米加水煮粥，上层的浓米汤常被称为"米油"，清代王士雄认为，"米汤可代参汤用"。

3. 糯米

【基原】为禾本科植物糯稻的种子，即由糯稻脱壳而成，它是我国栽培的一个变种稻，始载于东汉末《名医别录》。糯稻又有籼糯和粳糯之分，因籼米和粳米的淀粉都有糯性和非糯性之别，若属非糯性的米则称籼米或粳米。

糯稻优良品种有产于江苏宜兴的香嘴糯，制成的食品香味浓郁；产于江苏金坛的金坛糯，是制作上等绍兴酒的原料；产于江西项山糯米，米粒肥大，软黏香甜，不但可做黏食，还可酿酒或制作糖果；优良品种还有不少是有色糯米。

糯米一般色乳白，米粒以短圆粒型为主，也有长粒型。糯米几乎百分之一百是支链淀粉。糯米通常不用来做饭，而是做汤圆的原料。

【异名】元米、江米、黏米。又称黏稻米、酒米等。糯者濡也，本品以性格柔黏故名。

【营养保健】糯米主要成分与粳米相似，含蛋白质、脂肪、碳水化合物、钙、铁、磷、钾、钠、铜、镁、锌、硒、维生素 B_1、维生素 B_2、维生素 B_{12}、维生素 E、生物素、烟酸，其蛋白质与脂肪较粳米高。

每 100 克糯米（江米）可食部 100%，含水分 12.6 克，能量 1456 千焦，蛋白质 7.3 克，脂肪 1 克，碳水化合物 78.3 克，膳食纤维 0.8 克，灰分 0.8 克，维生素 B_2 0.11 微克，维生素 B_2 0.04 毫克，尼克酸 2.3 毫克，维生素 E 1.29 毫克，钙 26 毫克，磷 113 毫克，钾 137 毫克，钠 1.5 毫克，

第四章　各类粮食的营养与保健

镁 49 毫克，铁 1.4 毫克，锌 1.54 毫克，硒 2.71 微克，铜 0.25 毫克，锰 1.54 毫克。

【食性】甘，温。归脾、胃、肺经。

【功效】健脾止泻，固表止汗，安胎，解毒发疱。

【饮食调养】孙思邈谓："益气止泻"，并称之为"脾之谷"。缪希雍《本草经疏》载："补脾胃，益肺气之谷，脾胃待补，则中自温，大便亦坚实。温能养气，气充则身自多热，大抵脾怖虚寒者宜之。"常食糯米可治脾胃虚弱、体倦乏力、少食腹泻、气虚自汗、消渴口干、妊娠胎动、胃脘隐痛、痘疹痈疖、劳心吐血、头晕等。

（1）用于风寒感冒、胃寒呕吐等：以糯米做粥，配姜葱，佐以醋止汗。

（2）用于虚汗不止：糯米、小麦麸同炒为末，每服 9 克，以汤送下或猪肉点食。

（3）用于脾虚泄泻：糯米、淮山药共煮粥，熟后加白糖食之。

此外，糯稻根须，煎服可止渴、止虚汗。

【饮食注意】①糯米温黏，煮熟性热，多吃发温热、动痰湿，故热病及小儿有病者不宜食。《本经逢原》载："糯米温黏，若作糕饼，性难运化，病人莫食。"②素有脾胃消化无力者不宜做饭食，食之不当易泛酸、胀气、败胃，且素食须适量而止。《本草纲目》载："若素有痰热风病及脾病不能转输，食之最能发病成积"。③现代常用于消化性溃疡，但用量不宜太大，以免黏滞难化，反而伤胃。

【按语】糯米与籼米、粳米的营养成分差异甚小。但是祖国医学认为：与籼米、粳米相比，糯米性偏于温，是重要的滋补食物。《本草纲目》把糯米的功效归纳为四种：一是温脾胃；二是止腹泻；三是缩小便；四是收自汗。主治胃寒痛、消渴、夜多小便、脾胃气虚泄泻、气虚自汗、妊娠腰腹坠胀、劳动后气短乏力、体弱等。

【附】籼米、粳米、糯米的鉴别

籼米吃起来感觉干燥、不黏、较硬，不宜酿酒，即籼米米饭黏性小，胀性大；粳米吃起来柔软性和颗粒性都好，不太黏，也不太干，胀性适中，也不宜酿酒，即粳米米饭黏性偏大，胀性偏小。糯米吃起来富有黏

粮食的营养与保健

性、柔性，一般不作为主食，特别适宜于酿酒和制作各式糕点，但若作糕饼，性难消化，即糯米的黏性最大，胀性很小。

（1）试剂检测：把米粒切断，在断面上沾少许碘化钾溶液，看它的显色反应。糯米显出棕红色，而籼米或粳米显出紫蓝色。

（2）透明度：籼米和粳米是半透明的，而糯米不透光，看上去呈乳白色，像蜡一样。有一种糯米叫"阴糯"，也像粳米或籼米，半透明，但一经烘干就变成乳白色不透明。因此，国外把不透明的糯米称为"蜡质"米，相反半透明的籼米和粳米称为"非蜡质"米。

（3）形状：籼米和粳米有区别，而籼米、粳米同糯米没有多大区别。籼米一般是狭长的，扁平的；粳米则短阔些，浑圆些；而糯米的形状，有的像籼米，有的像粳米。

（4）吸水性：籼米的吸水性最大，粳米次之，糯米最小。因此，煮饭的时候，籼米加水要多些，粳米要少些，糯米更少。

（5）胀性：籼米最大，粳米小，糯米最小。

4. 黑米

【基原】黑米的外壳发黑发亮，比普通的大米略扁，香味独特。因其稀少而贵，是大米中身价较高的品种。据史料记载，从汉武帝到清朝末年，黑米就被视为珍品，向历代皇帝进贡，所以黑米又被称为"贡米"。

我国种植黑米有悠久的历史，而且品种繁多，如陕西黑米、东兰墨米、贵州惠水的黑糯。

【异名】黑糯米、贡米、药米，古称"粳谷奴"。

【营养保健】黑米营养价值极高，含蛋白质、脂肪、多种氨基酸以及硒、铁、锌等微量元素和维生素 B_1、维生素 B_2。黑米所含蛋白质是大米的 $0.5 \sim 1$ 倍，所含锰、锌、铜等无机盐大都高 $1 \sim 3$ 倍，更含有大米所缺乏的维生素 C、叶绿素、花青素、胡萝卜素，还含有具有重要医疗价值的强心甙、精氨酸等特殊成分，因而黑米比普通大米更具营养。

每 100 克黑米含可食部 100%，水分 14.3 克，能量 1393 千焦，蛋白质 9.4 克，脂肪 2.5 克，碳水化合物 72.2 克，膳食纤维 3.9 克，灰分 1.6 克，维生素 B_2 0.33 微克，维生素 B_2 0.13 微克，尼克酸 7.9 毫克，维生素 E

0.22毫克，钙12毫克，磷356毫克，钾256毫克，钠7.1毫克，镁147毫克，铁1.6毫克，锌3.8毫克，硒3.2微克，铜0.15毫克，锰1.72毫克。

黑米可以促进人体生理功能，增进机体抗病力，对头昏目眩、贫血、白发、腰膝酸痛等疾病，可以起到一定的食疗作用。黑米还能明显的促进儿童智力发育和消化功能。

【食性】甘，平。归脾、胃、肝、肾经。

【功效】滋阴补肾，健脾暖肝，明目活血。

【饮食调养】黑米对于少年白发、病后体虚、肾虚均有很好的补养作用。黑米能活血、止痛，治疗内外伤有一定功效。如产妇多吃几次黑米饭，身体可早日得到恢复；跌打损伤、骨折患者，多吃黑米饭，或用黑米捣烂外敷，用黑米酒内服外擦配合治疗，可加快痊愈。常饮黑米酒，还可以促进睡眠，辅助治疗风湿性关节炎。用黑米与红枣煮粥，不仅是色彩令人叫绝，而且最具风味；用黑米来炖鸡，对身体极为有益。

【饮食注意】①黑米的米粒外部有一坚韧的种皮包裹，不易煮烂，故黑米一般至少要浸泡一夜，煮粥时一定要使黑米完全煮烂，汤汁非常黏稠方可食用。②黑米粥若不煮烂，不仅大多数营养成分未溶出，而且多食后易引起急性肠胃炎，对消化功能较弱的孩子和老弱病者更是如此。因此，消化不良的人不要吃未煮烂的黑米。病后消化能力弱的人不宜急于吃黑米，可吃些紫米来调解。

【按语】陕西洋县种植黑稻米，距今已有2000多年历史。相传西汉时期，张骞还未出山之前，在汉中家乡成固（今陕西城固、洋县一带）读书。除了苦读诗书外，常去河畔寻找野生稻谷，一天他在野稻中找到一株灰色稻穗，剥开稻壳，果然是黑米。据说，张骞发现的黑米，就是流传至今的洋县黑米。由于黑米味美，所以，自西汉汉武帝时代开始，直到清朝末年，洋县黑米均是向帝王进献的贡米。

洋县黑米色泽乌黑，内质色白，煮成粥为深棕色，味道浓香，营养价值甚高，常食具有滋阴补肾、益气强身、明目活血的作用。若用洋县黑米与陕北红枣煮粥，更是味美甜香，被人们称之为"黑红双绝"。用洋县黑米配以白果、银耳、核桃仁、花生米、红枣、冰糖、薏米做成"黑米八宝粥"，是难得的高级滋补美食。

东兰墨米，又称黑糯米，有"药米"、"神米"之美称，具有"滋阴补肾，健脾暖肝，益气补血，生津明目，壮筋健骨，利便止泻"等功效，长期食用可延年益寿。东兰墨米酿出的东兰墨米酒有行气健胃、补血强身、提神等功效。

贵州惠水的黑糯米，产于惠水县，又叫紫糯米，已有一千多年栽培历史。相传宋代有一位苗王首先发现，并引种黑糯米。为了纪念这位苗王，每年农历三月初三当地人民都要做黑糯米粑以示祭祀。据《定番州志》记载，从宋代起历代地方官都把黑糯米作为贡米进贡皇帝，黑糯米成为宫中餐桌上的珍品。黑糯米的蛋白质、赖氨酸、维生素 B_2 含量都比白糯米高得多，用黑糯米做的糍粑、甜酒等历来是当地少数民族逢年过节必备或待客送礼的食品。黑糯米习惯以糙米煮食，米饭紫黑色中透微红，清香扑鼻。

5. 紫米

【基原】紫米有皮紫内白非糯性和表里皆紫糯性两种。如墨江紫米、盈江紫糯。

【异名】紫珍珠、御田胭脂米。

【营养保健】紫米中含有丰富的蛋白质、脂肪、赖氨酸、维生素 B_2、维生素 B_2、叶酸等多种维生素，以及铁、锌、钙、磷等人体所需微量元素。

每 100 克紫红糯米（血糯米）可食部 100%，含水分 13.8 克，能量 1435 千焦，蛋白质 8.3 克，脂肪 1.7 克，碳水化合物 75.1 克，膳食纤维 1.4 克，灰分 1.1 克，维生素 B_2 0.31 微克，维生素 B_2 0.12 微克，尼克酸 4.2 毫克，维生素 E 1.36 毫克，钙 13 毫克，磷 183 毫克，钾 219 毫克，钠 4 毫克，镁 16 毫克，铁 3.9 毫克，锌 2.16 毫克，硒 2.88 微克，铜 0.29 毫克，锰 2.37 毫克，碘 3.8 毫克。

【食性】甘，温。归脾、胃、肾经。

【功效】补肾接骨，健脾暖肝，明目活血。

【饮食调养】《本草纲目》记载：紫米有滋阴补肾、健脾暖肝、明目活血等作用。紫米还能补血、可治疗神经衰弱等。

【饮食注意】紫米和黑米是两种米，虽多属于糯米类，但营养成分和功效是有所不同的。

【按语】墨江紫米是滇西南的特产，因米呈紫黑色，故得名。属糯米类，俗称"紫珍珠"。《红楼梦》中称之为"御田胭脂米"。墨江紫米以粒大饱满、黏性强，蒸制后能使断米复续，具有接骨功效，素有"米中极品"之称。

墨江紫米是煮食、加工副食品、食疗的佳品。香润可口的紫米粑粑、紫米甜白酒、大枣紫米粥、紫米三七炖鸡、紫米八宝饭、紫米汽锅鸡、紫米葫芦鸭等菜肴深受群众喜爱。用紫米烤制的墨江"紫米封缸酒"，名声远播海外。

盈江紫糯是景颇族同胞喜欢种植的一种糯稻谷，是稻类中含蛋白质较高的一种，其蛋白质含量一般在 9.29%。紫糯酿制的盈江紫糯酒，因蛋白质含量高而被人称为"液体蛋糕"。

由于盈江紫糯的营养素含量高而全面，是一种具有较高药用价值的谷物，它具有滋阴补肾、健脾暖胃、健脑抗衰、益智延寿、明目活血、润肺止咳等功能。因此，景颇族妇女习惯在"坐月子"的时候特意吃些紫糯米饭，以恢复体力和防止疾病。紫糯酿制的白酒，拉痢患者吃了可止痢；紫糯米干炒后泡酒饮用，可治风湿；紫糯米干炒粉碎后，用开水吞服可止咳。

6. 红米

【基原】红米为糯米属香米系列，多属陆稻，生长在旱地、坡地等自然条件较差的环境；但是经世代的改良，如今已经成为"水稻种"。

【异名】红糯米，因除去谷壳便能显露出天然的浅红颜色而得名。

【营养保健】红米的营养价值很高，所含的维生素 A、E、铁质及蛋白质，均高于一般白米。

每 100 克红米中含蛋白质 65 克，脂肪 5 克，碳水化合物 781 毫克，钙 150 毫克，磷 1510 毫克，铁 6 毫克。

红米营养丰富，米质柔软，香甜可口，除了可做各类点心之外，也是虚弱疗养者或是产后者极佳的滋补食品。

【食性】甘，温。归脾、胃经。

【功效】温中健胃，补血养颜。

【饮食调养】红米以蛋白质含量高和富含铁质等微量元素而著称。常食可温中健胃、补血养颜。

【饮食注意】红米的食用方法有两种：一种为将红米洗净后，浸泡一夜放进蒸斗蒸至熟，即成味香可口的红糯米饭。另外一种为将蒸熟的红糯米倒入洗净的臼，然后以抹上油的杵，慢慢捣成糕，就是糯米糕。

【按语】红米是湖南省桂东县的传统水稻品种之一，栽种于高寒山区的垅坑梯田中，以农家肥培育为主。

此外，还有产于江苏常熟等地的红糯，米色赤褐，为滋补佳品，向有"血糯"之称。因米含铁质而色似胭脂、血濡之红。这种米营养丰富，能滋补气血，过去是专供上层贵族享用的，但由于产量低，因而不易推广。唐朝诗人郑邀曾经为此而感叹："一粒红稻饭，几滴牛颔血！"（颔 hàn 下巴颏，颔车是齿下骨的别名）。

【附】黑米、紫米、红米的营养

黑米、紫米、红米等均属有色米，长期以来，我国人民培养出许多有色米的优良品种。个别地区还产有绿色的米，称之为"碧米"。

有色米富含蛋白质、赖氨酸、脂肪、纤维素和人体必需的矿物质铁、锌、铜、锰、钼、硒、钙、磷，以及含有丰富的维生素 B_1、维生素 B_2、维生素 B_6、维生素 B_{12}、维生素 D、维生素 E 和烟酸，花青素、叶绿素等。尤其是含有一般大米缺乏的维生素 C、胡萝卜素等。有色米的蛋白质含量，比普通早籼米的蛋白质含量相对提高 10.4% 以上，比普通的晚籼米高22.1%。所以，有色米的营养价值比普通大米高。

有色米中还含有强心苷、生物碱、植物甾醇等多种生理活性物质，具有促进机体代谢、抗衰老等医疗保健功能。临床试验证实有色米及其产品可显著提高孕妇的血红蛋白和血清铁含量，防止妊娠时血红蛋白下降，减少妊娠贫血病的发生率。有色米可治疗营养不良、水肿、贫血、维生素 B_1缺乏引起的脚气病等。

用黑米或紫米熬制的米粥清香油亮、软糯适口，因其含有丰富的营养，具有很好的滋补作用，因此被人们称为"补血米"、"长寿米"。我国民间就有"逢黑必补"之说。

(三) 稻米烹调方式

《本草经疏》曰："稻米即人所常食米，为五谷之长，人相赖以为命者也。其味甘而淡，其性平而无毒，虽专主脾胃，而五脏生长，血脉精髓，因之以充溢，周身筋骨肌肉皮肤，因之而强健。"据中国医学科学院研究所分析，稻米含碳水化合物 75% 左右，蛋白质 7% ~ 8%，脂肪 1.3% ~ 1.8%，并含有丰富的 B 族维生素等。稻米中的碳水化合物主要是淀粉，是提供人体热量的主要来源。每 500 克标准籼米约可提供热量 1755 千卡。稻米所含蛋白质主要是稻谷蛋白，其次是球蛋白，数量不多，但其生物价和氨基酸构成比例评分都比小麦、大麦、小米、玉米等谷类粮食高；同时它的消化率一般为 66.8% ~ 83.1%，也是谷类蛋白质中较高的一种。不过稻米蛋白质中赖氨酸含量比较少，还不能算是很完全的蛋白质，其营养价值比不上动物蛋白质。稻米含脂肪较少，但其脂肪中含必需脂肪酸（亚油酸）较多，一般占脂肪总量的 34%，比菜油和茶油分别多 2 ~ 5 倍。中国南方俗称稻为稻谷或谷子。稻米又称"籛（chí）米"。煮熟的大米中国北方称其为米饭，中国南方称之为白饭，香港亦有俗称靓仔。

1. 米饭类

米饭是中国、日本、韩国等东亚地区的主食，其料理方法五花八门。以下是其中一些最主要的例子：

（1）泡饭：米饭煮好后加水。看起来有些像粥，但米没有膨胀得那么大。

（2）炒饭：把煮好的米饭和蛋、蔬菜、肉、海鲜等食材一块翻炒，可以说是国际化的米料理，几乎世界各地的华人餐馆都有炒饭，在中国最著名的有扬州炒饭。

（3）烩饭：米饭煮好以后，淋上以太白粉勾芡的酱汁。如牛肉烩饭、猪肉烩饭或鸡肉烩饭；淋上咖哩酱汁的就叫做咖哩烩饭。

（4）手抓饭：中亚和阿拉伯地区常用胡萝卜、葱头和羊肉加米和水一起焖饭，熟后淋上羊油翻炒食用，就叫做手抓饭。

（5）盖浇饭：中国南方常在米饭上浇上菜和菜汁一起食用，称作盖浇饭。

（6）寿司：是日本家常食物，源自中国的饭团，其特色是一口一件。用醋调味的饭、海苔，将生鱼片或清淡的食材卷起后切块或是放上手指长度的饭团上。由于日本是岛国，亦多以生鱼片为配搭。亦有手卷的做法。

（7）饭团：是在中国、日本、中国台湾等地区普遍食用的方便食品，以米饭包裹食材成团状，馅料亦千变万化。

（8）粢饭（或称粢饭团）：中国江南地区早餐食品，亦流行于中国香港，由饭团演变而成，以糯米为主，亦有掺其他米者。通常会夹上油条、肉松和榨菜，亦有以酱瓜或砂糖等作馅料的，一般食用时还配上豆浆一杯。

（9）粢饭糕：油炸食品，将米饭煮熟，再压至方状、冷却，然后油炸而成。

（10）蒸饭：把米饭以蒸的方式煮熟。

（11）盅头饭：蒸饭的一种，也是中国广东点心的一种，以炖盅把饭和配菜放在一起蒸。

（12）稀饭：与粥相似，质感界乎饭与粥之间。

（13）焗饭：常见于中国香港，在饭面铺上芡汁（部分会加上芝士）焗制而成。

（14）煲仔饭：起源于中国广东，把饭放进砂煲（煲仔），再用炭烧热而成，日本称为釜饭。

（15）米汉堡：一说源自日本的摩斯汉堡快餐集团，是以白米压制成的饼皮取代传统的面包来制作汉堡。

（16）御饭团：原为日式点心，但因连锁便利，商店企业将其大量产量化而闻名，是以模仿三明治外形而推出的小型饭团。

2. 条类米制品

一般由米磨成粉，再加工制作成面条或面线的形状。部分米制品于制作过程已煮熟，所以煮食时以滚水烫熟即可食用。

（1）米粉：历史悠久，可以追溯至魏晋南北朝的食品。当时中国南方盛产稻米，而米粉因携带、食用方便而流行，有汤米粉及炒米粉等吃法。

（2）米线：与米粉相似，但做法不同。以中国云南的过桥米线为源，亦最为著名。

（3）饵丝：中国云南食品，没有米线的滑溜。一般滇西和滇西北人比较爱好吃饵丝，而滇东滇中一带比较喜欢米线。著名的饵丝是腾冲饵丝。

（4）金边粉：金边是柬埔寨首都的名称，现时金边粉也成为越南菜和泰国菜的一部分。

（5）檬粉：檬粉形状与中国的米线相似，但在越南语中是河粉的意思，以捞檬粉较为著名。

（6）酹粉（俗写作濑粉）：中国广东地区的食品，经常伴与叉烧和烧鸭等烧味，如叉烧濑。

（7）河粉（或称沙河粉）：源自中国广州沙河，最著名的为干炒牛河及生牛肉沙河粉。河粉亦在东南亚相当普遍。

（8）粿条（又称粄条或粿仔条）：泰国米制品，与河粉相似。

（9）其他：糯米糕、糯米卷、板条。

3. 加工类米制品

另外，还有加工成各种糕点或小吃食用的。

（1）锅巴：煮饭时锅底微焦，全干的部分。炸锅巴来做菜，也相当有名。四川菜中就有一道锅巴肉片。

（2）米香（华南地区称米通）：不加水，只用高温使米膨胀。一般以混合糖的制法为主，近年亦有朱古力、花生味等口味。

（3）米花糖：与米通相似，一般以棒状或条状售卖。

（4）米饼：包括雪米饼、香米饼、鲜贝及婴儿吃的牙饼等。

（5）米菓：日式米饼。把剩下的米，搓成块状拿去炸，之后加上海苔粉。

（6）肠粉（又称拉肠、布拉肠、猪肠粉）：广东小吃，传统以碎肉、鱼片、虾仁为馅。也是港式酒楼常见的点心，一般常见的以鲜虾肠粉、牛肉肠粉和叉烧肠粉为主。香港传统粥店则会提供炸两滑肠粉，是在肠粉内包上油条；粥店也有净肠粉，也是一种街头小吃，经常配以甜酱、辣酱、芝麻食用。

（7）萝卜糕：中国南方的菜色。将萝卜切丝后混入米浆蒸制成的料理。

（8）其他：碗糕（或称碗粿）、米苔目、麻糍、竹笋包、猪血糕（又称为米血或米血糕）、发糕、芋粿、红龟粿、草仔粿。

4. 糯米食品

糯米中国北方称江米，是一种黏性较高的米。

（1）汤圆（中国南方称汤圆或汤团，北方多称元宵）：是一种中国元宵节食物。汤圆煮后汤比较清，元宵煮后汤比较浓，因此喝汤如同喝糯米面粥。

（2）糍粑（朝鲜、韩国称打糕，日本称镜饼）：以煮熟的糯米饭入石臼，以木棒捶打而成，广泛分布于东亚各地。

（3）糯米鸡及珍珠鸡：一种中国广东点心，糯米鸡由于分量较多，较易饱滞。因此，近几年广东酒楼推出材料相同，体积却只有几分之一的珍珠鸡。

（4）粽子：中国端午节传统的食品，相传粽子的发明与古代中国诗人屈原投江有关。粽子使用箬竹叶或芦苇叶包裹糯米或黄米和其他辅料如枣、豆沙、火腿等，隔水煮熟而成。

（5）筒仔米糕：台湾各地的糯米类小吃，与油饭类似，但却是在竹筒或铁罐中炊煮而成，口味浓郁。

（6）年糕：中国各地均有不同口味的咸、甜年糕，以糯米粉制成。而所谓日本年糕和朝鲜年糕，实际上是打糕。

（7）糯米肠（又称米肠）：一种结合香肠和糯米的小吃，将调味后的糯米塞入洗净后的猪大肠，成为携带方便的糯米肠。

（8）黑糯米食品：黑糯米又称紫米，常被用于冷热甜品中，而其营养价值也较高。黑糯米可做八宝粥的原料，或者与其他红黑色营养食品（如红枣，赤豆等）煮在一起。

（9）酒酿（又称醪糟）：用糯米饭加入酒药（由米和食用真菌制成）发酵而成。另一普遍吃法是加入汤圆成"酒酿汤圆"（又称"酒酿丸子"）。

（10）糯米糍：用糯米粉团，通常会包入豆沙或莲蓉的馅料。

（11）糖不甩：用糯米粉团，沾上糖浆、花生碎和芝麻。

（12）其他：糯米糕、糯米卷。

5. 米布丁

一般是甜品，在世界各地都有，配制内容不同，但主要是甜味道的米粥，中国的八宝粥就是其中一种；有些国家甚至放入果仁，橘皮，桂皮，牛奶等；有些米布丁是咸味道的。

6. 用米做的饮料

亚洲用米做的饮料有多种：

（1）将米炒制后做成的米茶和糙米茶相当有名，而其中米酒可能最为大众所知，我国广西壮族自治区出产的三花酒、浙江省出产的加饭酒、黄酒、女儿红、四川甜米酒都是用稻米酿制的，部分酒类亦有以糯米酿成的。米酒也是我国台湾家庭料理不可或缺的主角，我国台湾加入世界贸易组织时甚至还曾引起米酒抢购潮。此外，日本米酒类的清酒，其国际知名度也相当高。

（2）米浆则是一种冷热皆可的饮料，制法与豆浆相似，一般是将米浸泡五六个小时，将米炒过与芝麻等再加水及糖煮沸而成，米浆也是河粉、肠粉等的制作程序之一。

（3）有些啤酒的副原料中也有米。欧美目前流行一种用米作原料的酸奶。

7. 米的其他功用

稻米经加工后也可像面包糠一样作为油炸粉使用。而将一团饭粒放进冰箱后，可拿来吸掉热油中的油渣。米对果物有催熟作用，将生果放在米缸中，可以令其更快熟透。米对美容也有许多帮助，稻米糊就是一种保养品，而稻米磨成的粉末则可制成蜜粉，均对滋润和护肤有功效。

（四）其他

1. 大米的等级

大米是稻谷经清理、砻谷、碾米、成品整理等工序后制成的成品。

清理工序就是利用合适的设备，通过适当的工艺流程和妥善的操作方法，将混入稻谷中的各类杂质除去，以提高大米成品的质量，同时利用磁铁除去稻谷中的铁钉、铁屑等，以保证生产安全。

砻谷工序就是用橡胶辊砻谷机或金刚砂砻谷机将稻谷的颖壳脱下，并使颖壳与糙米分离。

碾米工序即用碾米机碾削、摩擦糙米使皮层和胚乳分离。

成品整理即进行刷米、去糠、去碎、晾米等处理，这样就可得到所需等级的大米。

稻粒是由表皮、糊粉层、胚芽和谷体等部分构成。表皮主要是由纤维

粮食的营养与保健

素和半纤维素组成，含有多量的维生素和无机盐类。糊粉层富含蛋白质、脂肪和维生素 B。在胚芽中则富含蛋白质、维生素 B、维生素 E、脂肪、可溶性糖类和多量的酶；谷体则含有大量的糖（主要是淀粉，是米的主要食用部分）和少量蛋白质。

大米经加工后，按照大米粒面和背沟的留皮程度可分为特等米、标准一等米、标准二等米和标准三等米四个等级。

特等米：背沟有皮，粒面米皮基本去净的占 85% 以上；

标准一等米：背沟有皮，粒面留皮不超过 1/5 的占 80% 以上；

标准二等米：背沟有皮，粒面留皮不超过 1/3 的占 75% 以上；

标准三等米：背沟有皮，粒面留皮不超过 1/2 的占 70% 以上。

以上四种不同加工精度的大米，除背沟和粒面的留皮程度不同外，其营养成分和品质特点也是不同的。

（1）特等米：基本上除净了糙米的皮层、糊粉层和胚芽，所以淀粉含量在几类大米中最高，粗纤维素、灰分含量则最低，维生素 B_1、维生素 B_2 和尼克酸以及钙、磷、铁等含量低于我国暂定的营养供给量标准，尤其是维生素 B_2 和钙。不过特等米的胀性好、出饭率高，食用口感好，消化吸收率也最高。

（2）标准一等米：加工精度次于特等米，食用品质、出饭率和消化吸收率略低于特等米。但维生素、矿物质、脂肪、蛋白质含量均高于特等米。标准一等米中维生素 B_2 和钙、铁含量仍偏小，尼克酸含量略低于营养标准。

（3）标准二等米：为粮店日常供应的大米。这类大米尽管淀粉含量较特等米和标准一等米为低，出饭率和消化吸收率也较低，但粗纤维素、灰分含量高，维生素 B_1 和尼克酸含量能满足人体需要，唯有维生素 B_2 和钙的含量达不到营养标准。

（4）标准三等米：因保留了大量的皮层和糊粉层，所以维生素和矿物质的含量最高，但因为含有较多的粗纤维和灰分，其出饭率和食用品质都不及上述三个等级的大米。所以标准三等米一般不加工。

稻谷经适当加工后除去杂质和表皮，借以增加稻米的感官性，便于食用，易于消化吸收。由于稻谷各部分的营养成分分布不同，因而碾制成的精度不同，其营养成分的含量也不相同。因蛋白质、脂肪、维生素、无机盐类多含在谷粒周围部分和胚中，而胚乳中是淀粉和一部分蛋白质。因此，过分提高加工精度，则会使大部分胚和谷粒周围的部分营养丧失，加工过细的大米中，除含有大量的淀粉和一部分蛋白质外，其他营养成分含量很低。

按照经济和营养方面的要求，我国一般将稻米加工成"九二"米，即50公斤糙米加工成46公斤白米。从营养角度来看，标准米更符合人体需要。不少家庭长期食用精白米或水晶米，容易引起维生素 B_1 缺乏，使人患上脚气病（多发性神经炎）。哺乳的母亲长期食用精白米，还可使婴儿患上脚气病。另外，精白米的糠麸明显减少，其中的纤维素也会减少，膳食中缺乏食物纤维，是导致结肠癌、高胆固醇血症、糖尿病以及便秘、痔疮等病的直接或间接的病因。所以，"吃米带点糠，有利于健康"的说法是有道理的。

2. 大米的种类

稻米在碾磨时有时加上一薄层葡萄糖和滑石粉，可使米粒有光泽。米的种类相当多，而且不限地区贩售，因此在中国可能也会吃到我国泰国米，在日本也会吃到我国台湾出产的米。以米的加工过程，也可将米的种类分为以下几种：

（1）糙米：碾磨时只去掉外壳的稻米叫糙米，保留了八成的产物比例。营养价值较胚芽米和白米较高，但浸水和煮食时间也较长。

（2）胚芽米：糙米加工后去除糠层保留胚及胚乳，保留了七成半的产物比例，是糙米和白米的中间产物。

（3）白米：糙米加工后去除糠层，去除胚及胚乳，保留了七成的产物比例。

（4）预熟米（改造米）：将食米经浸润、蒸煮、干燥等处理。

（5）营养强化米：食米添加一种或多种营养素。

（6）速食米：食米经加工处理，可以开水浸泡或经短时间煮沸，即可食用。

（7）有机米：水稻栽种过程中，不施用化学合成农药及化学肥料，采用有机式（以天然萃取物或浸泡汁液防治病虫害、施用有机肥料等）管

粮食的营养与保健

理，种植生产的稻米，经加工所得的食米。

（8）免淘洗米：不用淘洗就可以直接煮成米饭。

（9）蒸谷米：经清理、浸泡、蒸煮、烘干等水热处理后，再按常规碾米方法加工的大米。

3. 大米的淘洗法

大米在做成饭之前，都要先用水淘洗，除去其中杂物、渣土等，但在淘米时必须注意保持大米的营养。对新鲜大米不宜揉搓久洗，过分揉洗，就会造成维生素 B_1 大量流失；对老陈米宜揉搓脱胎，因存放时间较长的米，有程度不同的霉变，甚至含有致癌物质黄曲霉素，故淘米时应多揉搓洗，使其霉变脱离米体，予以清除；霉烂米不能食，只能另作它用。

4. 大米的储藏措施

大米储藏，应根据大米的品质与所处季节，灵活运用通风降温、低温密闭、缺氧保管、化学药剂处理等方法，以防止发热霉变，延缓陈化，保持品质。

大米发热霉变与陈化的发生、发展，通常是散装比包装慢，密闭比通风慢，缺氧比有氧慢。因此，坚持以散装为主，包装为辅；密闭为主，通风为辅，尽量减少大米与外界空气接触的机会，是保管好大米的重要措施。

（1）适时通风：从大米全年储藏的角度看，大米在冬季通风最有利，既能降温，又可散湿。在夏季，对于短期内供应周转的大米，采用包装堆放，合理通风也可作为一种临时措施。对于需要储存过夏或已有发热生霉趋势的大米，在春夏季不宜采取拆堆摊晾、敞口散湿或机械通风等办法，因为这时正值高温多湿季节，采取这些方法降温散湿效果不大，反而容易为粮食的强烈呼吸与虫霉繁殖提供充足的氧气，往往会加速大米霉变、陈化，应该尽量避免。

（2）低温密闭：冬季加工的大米，如水分、杂质含量在安全标准以内，趁冬季通风，使粮温降低至10℃以下，春暖前密闭储藏，一般可延长管期1个月左右。

（3）"双低"储藏："双低"储藏，对抑制大米呼吸强度、防治虫霉的危害、保持大米色泽与香味、延缓大米陈化有较显著的效果，也是保证高水分大米过夏的较好办法。

5. 鉴别新旧大米

新米最大的特点是每粒米腹部基部胚芽多数还保留着，这是鉴别新陈大米的主要方法之一。当然胚芽保留多少与碾米时机械强度和碾米时间有关，不能一概而论。但不管怎样，新米胚芽总能保留部分或绝大部分；陈稻谷加工的大米，其胚芽则没有或几乎难以找到，胚芽脱落处则成了一个缺口。同时新米一般有光泽，带有清香味，还有一定的透明度或半透明度，而陈米则不具备。市场上卖的大米（如北方的粳米），多数是前一年的稻谷加工的大米，很少有卖新大米的。

6. 稻与米的关系

在很多时候，稻的种类与米的种类是一致时，习惯称"某某米"，而非"某某稻"。例如称"印度香米"，而少称"印度香稻"。但也有些时候，米和稻不能混为一谈，原因是同一种稻，可能精制出不同的米。例如台湾日据时期的在来米，原本是与籼稻同为一谈。蓬莱米，则是粳稻的代名词。但时至今日，在来米与蓬莱米又各自发展出相当多的品种，有些学者遂建议不能再混为一谈，应在最基本品种时，使用籼、粳的称呼较为妥当。

7. 米泔、米糠、稻糠、稻芽

（1）米泔：淘洗稻米的水称为米泔水，其中含有蛋白酶、淀粉酶等多种酶，故具有和胃之功效，可用于胃痛、泄泻、食后腹胀、食不消化等症，以第二和第三次的泔水最佳。用米泔水洗脸，还有美容的作用。

（2）米糠：在日本，米糠油被视为一种美白圣品。此外，米糠也能腌菜，甚至单独成为一道菜，就叫做炒米糠。据科学家研究，米糠的营养价值也相当高，除含有稻米中 64% 的营养，还含有 90% 以上人体需要的营养。米糠含大量的食用纤维，有助于促进排便，排除体内毒素，同时，还有降低胆固醇、减肥等作用。米糠还可用于调制上等食料和调料，如味精、酱油等；米糠中富含维生素 B_1，为治疗脚气病的特效药。在制药业方面，米糠还可提取维生素 B_2、维生素 B_6、维生素 E 等。因此有许多保健食品，生活用品中都强调它们有新鲜米糠的成分。

现在可以从中提取米糠油，米糠油是一种营养价值超过豆油和棉子油的食用油。米糠油可用来做人造奶油和起酥油等。

（3）稻糠：也就是稻谷的壳，它是动物饲料的重要来源。也被用作建筑材料，许多亚洲乡下的传统泥屋，如中国客家村落中的圆型土楼，材料中就有稻糠。现代社会中，稻糠也被试用在水泥混合材上，或是用来生产植酸钙、肌醇。

（4）稻芽：为稻的成熟果实经发芽干燥而成。将稻谷用水浸泡后，保持适宜的温、湿度，待须根长至约1厘米时，干燥。生用或炒用。

稻芽性味甘、温。归脾、胃经。功用同麦芽，有消食和中，健脾开胃的功效。但作用和缓。且稻芽中含有丰富的维生素 B_1，故还可用于治疗脚气病。用于米面薯芋食滞证及脾虚食少，消化不良。常与麦芽相须为用，以提高疗效。生用长于和中；炒用偏于消食。

二、小 麦

【基原】为禾本科植物小麦的子粒。小麦是世界上分布最广泛的粮食作物，其播种面积为各种粮食作物之冠。

小麦起源于西亚，由西部民族传入中原，在我国已有五千多年的种植历史。中原引入小麦后，经过长期的发展，终于取代了黄河流域固有的黍粟地位，成了我国广大居民的主粮。目前小麦的主要生产国有中国、俄罗斯和美国等国家。1983年我国小麦产量已占到世界小麦总产量的21%，成为世界上第二大产麦国。

小麦按播种季节不同分为春小麦和冬小麦，冬小麦秋季播种，次年夏季收获；春小麦春季播种，当年夏、秋收获。按麦粒粒质可分为硬小麦和软小麦，硬麦中含蛋白质较多，筋力大，能磨制高级面粉；软麦性质松软，含淀粉量较多，筋力小，质量不如硬麦。按麦粒颜色可分为白小麦、红小麦和花小麦。

中国冬小麦面积约占小麦总面积的84%，主要分布在长城以南；春小麦约占16%，主要分布在长城以北。从播种面积的集中程度看，小麦主要分布于秦岭——淮河以北的黄河中下游地区，主产于河南、山东、河北、安徽、陕西、山西诸省，其中河南省又是我国最大的产麦省。

我国小麦栽培大约经历了几次飞跃：初期为二倍体一粒系小麦；以后

经改良，小麦由二倍体一粒系发展为四倍体二粒系，这种小麦在我国新疆羌古墓中曾有发现，被称为"戈壁麦"。再后发展为近代小麦的祖先——六倍体普通小麦。近几十年来我国栽培小麦又有新的飞跃，出现了一种优质高产的八倍体黑小麦。它基本上解决了结实少、子粒不饱满的问题。目前我国已初步实现了良种化，全国育成和推广的小麦品种有130多个，占小麦总播种面积的90%以上。

【异名】白麦，淮小麦。

【营养保健】小麦的营养价值很高，含淀粉、蛋白质、糖类、糊精、脂肪、粗纤维。脂肪油主要为油酸、亚油酸、棕榈酸、硬脂酸的甘油酯。尚含少量谷甾醇、卵磷脂、尿囊素、精氨酸。含有助消化的淀粉酶、麦芽糖酶、蛋白分解酶等。还含有钙、磷、铁及微量维生素 B 等，是补充热量和植物蛋白的重要来源。

每 100 克小麦中含可食部100%，水分10克，能量1326千焦，蛋白质11.9克，脂肪1.3克，碳水化合物75.2克，膳食纤维10.8克，灰分1.6克，维生素 B_2 0.4 微克，维生素 B_2 0.1 毫克，尼克酸4毫克，维生素 E 1.82 毫克，钙34毫克，磷325毫克，钾289毫克，钠6.8毫克，镁4毫克，铁5.1毫克，锌2.33毫克，硒4.05微克，铜0.43毫克，锰3.1毫克。

（1）预防乳腺癌：进食全麦可以降低血液中雌激素的含量，从而达到预防乳腺癌的目的。

（2）镇静安神：更年期妇女食用小麦能缓解更年期综合征。

（3）美容护肤：小麦粉还有很好的嫩肤、除皱、祛斑的功效，法国一家面包厂的工人发现，无论他们年纪有多大，手上皮肤也不松弛，甚至还娇嫩柔软，其原因就是他们每天都要揉小麦粉。

此外，小麦胚芽油中含有丰富维生素 E，可抗老防衰，适宜老年人食用。

【食性】甘，凉。归脾、胃、肾经。

【功效】养心安神，除烦止渴，健脾止泻。外用消炎止疼。

【饮食调养】《本草拾遗》载："小麦面，补虚，实人肤体，厚肠胃，强气力。"《本草再新》把它的功能归纳为四种：一是养心，二是益肾，三

粮食的营养与保健

是和血，四是健脾。小麦适用于心血不足，失眠多梦、心悸不安、多呵欠及悲伤欲哭，即古称妇人脏躁（癔病）者食用。亦可炒黑研末调敷外用，治小儿口腔炎、烫火伤等。

（1）用于更年期综合征：每天用小麦 60 克，煮汤喝，或甘草 10 克，小麦 30 克，大枣 10 枚，煮汤喝，每天 1 剂，长服有效。

（2）用于失眠多梦：用小麦 30 克煎汤，在睡前送服酸枣仁粉 10 克。或小麦 50 克，甘草 10 克，百合 15 克，生地 15 克，大枣 10 枚，生龙骨 18 克，水煎服，每日 1 剂。

（3）用于脏躁：妇人脏躁（癔病）、悲伤欲哭，《金匮要略》用小麦 500 克，甘草 90 克，大枣 10 枚，水煮温服。如能加入百合 30 克，夜交藤 30 克，合欢皮 30 克，炒枣仁 15 克，疗效更好。

（4）用于脾胃虚弱，慢性腹泻：小麦面炒到色呈焦黄，用温开水调服，每次 1 汤匙，每日 2 次。

此外，烤馒头中夹杂着不少黑点，这是淀粉受热过度形成的炭。这些细小炭粒中充满了空隙，人吃了以后，它们能在胃肠里吸附大量水分、气体、胃酸、细菌和毒素，最后随同粪便一道排出体外。这样一来，胃酸过多的人吃了烤馒头，会因过多的胃酸被吸附掉而感到舒服；腹胀的人会因肠中过多的气体被部分吸附掉而感到轻松；消化不良而致腹泻的人，会因有害细菌和毒素被吸附掉而减轻症状或获得痊愈。

（5）用于暑热烦渴：在炎暑之季，把小麦洗净，碾去皮，水煮熬汤，可消暑解渴，若在其内加入绿豆更好。正如《嘉祐本草》中云："养肝气，煮饮服之良，服之止渴。"

（6）用于痈疮疖肿：一切无名肿毒，初起未溃者，陈小麦粉外用有良好的消疮肿功效。

（7）用于脚气病及末梢神经炎：麦麸皮中含有丰富的维生素 B_1 和蛋白质，有和缓神经的功效。

（8）用于美容：蛋黄 1 个，牛奶 1/3 袋，面粉 3 汤匙，搅成糊状做成保湿面膜，每天外涂 3 次。

【饮食注意】①病湿热者忌食面条。②存放时间适当长些的面粉比新磨的面粉品质好，民间有"麦吃陈，米吃新"的说法。③面粉与大米搭配着吃最好。④中药材分淮小麦、浮小麦两种。仲景甘麦大枣汤，系用淮小麦。

【按语】小麦秋种生苗，冬雪盘根，春暖益秀，夏熟入仓，具四时中和之气，被称为"五谷之贵"、"人生之宝"。

由于小麦各部分的营养成分分布不同，因而磨制精度不同的面粉，其营养成分的含量也不同。面粉中主要是糖类，占70%～80%，在特制面粉（高级面粉）中，淀粉的含量多，但纤维素的含量少，而在低级面粉中，淀粉的含量少，纤维素的含量多。面粉中的蛋白质，主要是麦胶蛋白和麦麸蛋白，这两种蛋白质是组成面粉中筋质的主要成分，它们不溶于水，但遇水后膨胀而成富有黏性和弹性的面筋质，这两种蛋白质在小麦粒的胚乳部分含量最多。在面粉中还含有脂肪、维生素B和维生素E，由于脂肪和维生素主要是分布在小麦粒的胚和糊粉层中，因而，低级面粉中的脂肪、维生素B和维生素E的含量高于高级面粉。根据面粉的上述营养成分的含量可以看出，标准粉和普通粉除筋力和色泽不如富强粉外，其营养价值则高于富强粉。小麦的精细化加工可得到感官特性良好的面粉和面制品，但导致小麦营养利用率下降和"文明病"上升。

小麦含有面筋，适于烤面包、蒸馒头、制面条、饼干、糕点、烧饼。小麦子粒还可以作为制葡萄糖、白酒、酒精、啤酒、酱、酱油、醋的原料，麦粉经细菌发酵后，可提制味精。

【其他】小常识

1. 小麦的保管法

（1）三热密闭法：即麦热、缸热、物料热。选择晴朗高温天气，在上午9时左右将水泥场晒热后，先把小麦薄摊到晒场上（厚度以1厘米左右为宜），再把压盖小麦的物料（棉被、毛毯、旧麻袋等）搬出晾晒，要用敌敌畏或防虫磷喷洒消毒。小麦要勤翻，每小时至少用木锨翻动一次，使麦温达到46℃～50℃，水分降到12.5%以下，于下午3时前后聚堆，热闷半小时，趁热放进经晾晒处理的缸中。再用经过消毒的物料进行压盖，然后用薄膜密封缸口，用绳扎紧，不得漏气，使缸内的麦温达到40℃以上，保持8～10天，杀死未死的卵、蛹、幼虫及成虫，从而达到聚热杀虫的效果。

粮食的营养与保健

（2）缺氧保管法：小麦缺氧储存，主要是利用其后熟期长及入缸粮温高、呼吸旺盛的特点，在小麦进缸密闭的情况下进行的一种自然缺氧保管方法。缸内的氧气随着小麦和害虫及微生物的呼吸而逐渐减少，5～10 天即能使氧气浓度降到 2%～5%，二氧化碳浓度增加到 40%～50%。保持一定时间可使害虫窒息死亡。但应注意，小麦水分应控制在标准之内（小于12.5%），平均粮温 30℃以上。

（3）化学保藏法：对入缸的小麦，在密闭性能较好的情况下可采用磷化铝化学药剂保藏，或用低氧、低药剂量储藏，也可用防虫磷同小麦搅拌储存，以杜绝害虫和霉菌的繁育，提高储粮的稳定性。对于靠自然缺氧达不到防治目的的小麦，用化学保藏最为适宜。投药法即用纱布把药片包紧放入粮堆内即可。此法适用于长期储存，一般用磷化铝片剂每吨 3～5 克即可，费用 1 元左右。

2. 夏季面粉的保管法

夏季雨水多，气温高，湿度大，面粉装在布口袋里很容易吸潮结块，进而被微生物污染发生霉变。所以，夏季是一年中保存面粉最困难的时期。尤其是用布口袋装面，更容易生虫。如果用塑料袋盛面，以"塑料隔绝氧气"的办法使面粉与空气隔绝，即不返潮发霉，也不易生虫。简单易行，便于面粉安全度夏。

【附】小麦麸、浮小麦、黑小麦

1. 小麦麸

麦麸深加工加百分之百食用，根据 1991 年版《食物成分表》全国代表值比较可知：麦麸的蛋白质含量比小麦精粉高 0.5 倍，而碳水化合物的含量仅为小麦精粉的 40%，麦麸膳食纤维含量极为丰富，比小麦精粉高51 倍。

2. 浮小麦

为禾本科植物小麦未成熟的颖果，以水淘之，浮起者为佳。性味甘、凉。有止汗，生津，补心气的功效。常用于治疗虚热多汗、盗汗，口干舌燥，心烦失眠等症。《本草纲目》记载："益气除热，止自汗盗汗，骨蒸虚热，妇人劳热。"著名的止汗方剂牡蛎散，也采用浮小麦，并与黄芪、煅牡蛎、麻黄根配伍，用于治疗气虚自汗的病症。

（1）心慌，自汗，盗汗：可用浮小麦30克，茯苓、麦冬各9克，水煎服。

（2）白天出汗，如精神紧张尤易出汗：淮小麦30克，红枣6个，甘草6克，桂圆肉5个，水煎喝汤，吃枣和桂圆肉。

3. 黑小麦

为禾本科小麦族黑麦属一年生草本植物黑麦的子粒，黑麦零星分布在我国的云南、贵州、内蒙古、甘肃、新疆等省（自治区）的高寒山区或干旱地区。

黑小麦营养丰富，蛋白质含量是15%～20%，蛋白质组成中，不仅赖氨酸、精氨酸、蛋氨酸所占比例比普通小麦、玉米高，而且在10种必需氨基酸中有8种氨基酸含量占首位。因此，黑小麦蛋白质氨基酸的组成比较平衡。黑小麦的矿物元素，如微量元素钙、锌、碘、硒含量比较高，是世界上珍贵的小麦品种，是黑色保健食品之一。由于营养成分丰富且含量高，被营养专家称为：补钙、富硒、高碘、优蛋白营养麦。黑小麦还含食物纤维，并含一种黑色素，黑色素对人体本身就有保健作用。

以黑小麦为原料试制啤酒、白酒、降脂麦片、黑面面包、蛋糕等系列产品上市后，深受消费者欢迎。

三、大 麦

【基原】为禾本科植物大麦属大麦的果实。大麦是人类栽培最古老的粮食作物之一，早在公元前6000年以前大麦在埃及就开始栽培了，距今已有8000多年的历史。中国栽培大麦的祖本在青藏高原，据考证，早在新石器时代中期，古羌族（居住在青海）就已在黄河上游开始栽培，距今已有5000年的历史。

大麦是有稃大麦和裸大麦的总称。一般有稃大麦称皮大麦，其特征是稃壳和子粒粘连；裸大麦的稃壳和子粒分离，也称裸麦，青藏高原称青稞，长江流域称元麦，华北称米麦等。

大麦有经济价值的是普通大麦种中的两个亚种，即二棱大麦亚种和多棱大麦亚种。通常我们将多棱大麦叫六棱大麦。

二棱大麦，穗轴每节片上的三联小穗，仅中间小穗结实，侧小穗发育

粮食的营养与保健

不全或退化，不能结实。二棱大麦穗粒数少，子粒大而均匀。我国长江流域一般喜欢种植二棱大麦。

六棱大麦，穗轴每节片上的三联小穗全部结实。一般中间小穗发育早于侧小穗，因此，中间小穗的子粒较侧小穗的子粒稍大。由于穗轴上的三联小穗着生的密度不同，分稀（4厘米内着生7~14个）、密（4厘米内着生15~19个）和极密（4厘米内超过19个）三种类型。其中三联小穗着生稀的类型，穗的横截面有4个角，人们称4棱大麦，实际是稀六棱大麦。

大麦按用途分，可分为啤酒大麦、饲用大麦、食用大麦（含食品加工）三种类型。

大麦具有早熟、耐旱、耐盐、耐低温冷凉、耐瘠薄等特点，因此我国大麦的分布在栽培作物中最广泛，主要分布在长江流域、黄河流域和青藏高原。根据生态因素中的光、温条件以及地理位置、播种期等特点，将中国栽培大麦划分为三大生态区。

1. 北方春大麦区

包括东北平原，内蒙古高原，宁夏、新疆全部，山西、河北、陕西北部，甘肃—景泰和河西走廊地区，属一年一熟春大麦区。从20世纪80年代后期，啤酒大麦发展很快，该区在大麦生长季节日照长，昼夜温差大，对子粒碳水化合物积累有利。特别是西北，天气晴朗，有黄河水，祁连山和天山雪水灌溉，啤酒大麦子粒色泽光亮，皮薄色浅，发芽率高，是我国优质啤酒大麦生产潜力较大的基地。黑龙江省被称为"北大荒"的松花江和三江平原，地域广阔，土壤肥沃，7月下旬进入雨季，适合种植早熟品种，也是我国比较好的啤酒大麦基地之一。

2. 青藏高原裸大麦区

包括青海、西藏全部，四川—甘孜、阿坝两个藏族自治州，甘肃—甘南藏族自治州，云南—迪庆藏族自治州。大麦种植在海拔3000米以上，属高原气候，阴湿冷凉，昼夜温差大，一般无霜期短。3月下旬至4月中旬播种，7月下旬至9月上旬成熟，一年一熟，以多棱裸大麦为主，是藏族人民的主要食粮。

西藏是世界上唯一大面积集中种植青稞的地区，青稞几乎占西藏粮食作物的一半以上，有些高寒地带甚至达到80%以上。青稞有白、黑、蓝、紫、褐等多种，按芒分为长芒、短芒、钩芒、无芒等；按生长期又分为冬青稞、春青稞，以及早熟、中熟、晚熟青稞等。

3. 黄、淮以南秋播大麦区

包括山东，甘肃的陇东和陇南，晋、冀、陕南部及其以南各省，四川盆地，云贵高原 5 个生态亚区，是我国大麦的主要产区。均秋季播种，根据越冬期的低温程度不同，品种有冬性、半冬性和春性。

黄、淮冬麦区冬季气温低，品种属冬性。该区降雨量适中，大麦比小麦早熟 10 天左右，收获前后天气晴朗。这一地区历史上就有种大麦的习惯，是我国啤酒大麦基地之一。

长江流域、四川盆地以南地区，大麦面积占全国的一半左右，是我国大麦的主要产区。该区气候温暖潮湿，降雨量大，大麦作为早稻的前作，主要用作饲料。

江苏的淮河以北和盐城地区，降雨量一般比长江以南少，大麦子粒色泽比较好，也是比较理想的啤酒大麦基地。

【异名】䴬、倮麦、䴴麦、牟麦、饭麦、赤膊麦。

【营养保健】大麦含淀粉酶、转化糖酶、卵磷脂、糊精、麦芽糖及葡萄糖和维生素 B 等。含有多种微量元素及维生素，还含有超氧化物歧化酶、细胞色素氧化酶等活性酶类。

每 100 克含可食部 100%，水分 13.1 克，能量 1284 千焦，蛋白质 10.2 克，脂肪 1.4 克，碳水化合物 73.3 克，膳食纤维 9.9 克，灰分 2 克，维生素 B_2 0.43 微克，维生素 B_2 0.14 毫克，尼克酸 3.9 毫克，维生素 E1.23 毫克，钙 66 毫克，磷 381 毫克，钾 49 毫克，镁 158 毫克，铁 6.4 毫克，锌 4.36 毫克，硒 9.8 微克，铜 0.63 毫克，锰 1.23 毫克。

(1) 促进溃疡愈合：大麦中含尿囊素，其溶液局部应用能促进化脓性创伤及顽固性溃疡愈合，能治胃炎及胃十二指肠球部溃疡等病。

(2) 降胆固醇：青稞是世界上麦类作物中含 β-葡聚糖最高的作物。β-葡聚糖具有降血脂、降胆固醇和预防心血管疾病的作用。

此外，β-葡聚糖还有调节血糖、提高免疫力、抗肿瘤的作用。

【食性】甘、凉。归脾、胃经。

【功效】健胃消食，下气宽中，利尿通淋。

【饮食调养】《本草拾遗》载：大麦能"调中止泻，令人肥健"。适用于食积不化，饱闷腹胀，烦热口渴等病症。也可用于小便淋痛，水肿，烫伤。胃炎及胃十二指肠球部溃疡患者在溃疡活动期多吃些大麦面食，对疾病有辅助治疗作用。

（1）用于食积胀满、消化不良：将大麦面蒸熟，做面茶，日服 2 次，可消食除胀。大麦做饭久食，有补虚弱、化谷消食的作用。

（2）用于急性泌尿系感染：大麦 150 克，水煮取浓汁，去渣，加生姜汁 50 克，蜂蜜 50 克，拌匀，每日 3 次，饭前服用。

（3）用于烫伤：将大麦炒黑，研末，用香油调和，每日涂患处。

（4）用于麦芒入目：煮大麦汁洗之。

【饮食注意】①大麦甘凉滑腻，常配粳米同食。②大麦易被麦角菌感染致病，产生多种有毒的生物碱，如麦角胺、麦角胱氨酸等，轻者引起适口性下降，严重者发生中毒，表现为坏疽症、痉挛、繁殖障碍、咳嗽、呕吐等。

【按语】在欧洲，特别是地中海，大麦享有健康食品的美誉，而且人们将其作为药用食品，如将大麦作为糖尿病患者的首选主食。

大麦是酿造啤酒不可取代的主原料，同时大麦还在西凤酒的原料组成中起到改善风味的作用。互助酒、山西老陈醋等酿造也以大麦为主原料。

【其他】小常识

1. 黑色大麦

黑色大麦，含蛋白质、膳食纤维、维生素 B_2 较高。含有硒、锌、钠、镁、磷、钙、铁、锰、铜等元素。蛋白质的含量一般超过 10% 以上。在上海、南京等大城市，人们食用黑色大麦的兴趣很高，在几乎所有副食品供大于求的情况下，唯独黑色大麦食品供不应求，其价格是黄色大麦的 3 倍。

2. 大麦的利用价值

（1）酿造啤酒：随着我国啤酒质量和产量的提高，对啤酒大麦子粒的外观、色泽、品质的要求越来越严格。

（2）饲用：大麦子粒的粗蛋白和可消化纤维均高于玉米，是牛、猪等家畜、家禽的好饲料。欧洲、北美的发达国家和澳大利亚，都把大麦作为牲畜的主要饲料。

（3）食用：大麦是藏族人民的主要粮食，他们把裸大麦（青稞）炒熟磨粉，可用酥油茶拌着吃，人们也将青稞与豌豆掺和制作糌粑，著名的青稞酒由裸大麦酿制而成。长江和黄河流域的人民习惯用裸大麦做粥或掺在大米里做饭。大麦仁还是"八宝粥"中不可或缺的原料。此外，"大麦茶"是朝鲜族人民喜欢的饮料。

【附】大麦芽

大麦芽为大麦经发芽后，低温干燥而成的一味常用药物。含维生素（A、B、E）和淀粉酶、麦芽糖、葡萄糖、转化糖酶、卵磷脂、蛋白质分解酶、脂化酶、脂肪和矿物质。麦芽所含的消化酶，能促进食物消化、善于消米面食积。

中医认为大麦芽味甘、微寒，有消食和中、疏肝回乳的功效。①大麦芽、六神曲各 12～15 克，水煎服，用于消化不良，饱闷腹胀。②大麦芽 30～60 克，水煎服，用于乳汁郁积引起的乳房胀痛。③麦芽还能舒肝，对肝气郁滞而兼食积不化者尤宜。④大麦芽、茵陈各 30 克，橘皮 15 克，水煎服，用于急、慢性肝炎后遗症，胸闷、腹胀、食欲不振。

大麦芽加热可炼制成麦芽糖，麦芽糖性味甘、温，有补虚健脾、润肺止咳、滋养强壮的作用。主治胃寒腹痛、气虚咳嗽。

此外，用大麦芽回乳时，若用量过小或萌芽过短，均可影响疗效。未长出芽之大麦，服后不但无回乳功效，反而可增加乳汁分泌。因大麦芽具有回乳作用，故妇女哺乳期忌用大麦芽。

稻芽、麦芽均具消食和中，健胃之功，主治米面薯芋类食滞证及脾虚食少等。但麦芽消食健胃力较强；而稻芽力较弱，故稻芽更宜于轻证，或病后脾虚者。

四、燕 麦

【基原】为禾本科燕麦属植物燕麦的子粒。燕麦原为谷类作物的田间杂草，始栽培于战国时期，距今至少已有 2100 年之久。

燕麦分布在五大洲 42 个国家，是世界性栽培作物，但集中产区是北半球的温带地区。燕麦的最大生产国是俄国，它的总产量占全世界的 40% 以上，其次为美国、加拿大。我国燕麦主产于青海、甘肃、内蒙古、山西的北部等西北地区，在内蒙古自治区种植面积最大，约占全国燕麦总面积40%。

燕麦一般分为带稃型和裸粒型两大类。世界各国栽培的燕麦以带稃型的为主，称为皮燕麦，成熟时内外稃紧抱子粒，不易分离。我国栽培的燕麦以裸粒型的为主，称裸燕麦，裸燕麦成熟时子粒与稃分离，子粒以食用为主。裸燕麦的别名颇多，在我国华北地区称为莜麦；西北地区称为玉麦；西南地区称为燕麦，有时也称莜麦；东北地区称为铃铛麦。根据子实颜色不同又可分为白、灰、红、黑及混合5种。根据栽培季节又分为春燕麦和冬燕麦。

燕麦株高60~120厘米，须根系入土较深。幼苗有直立、半直立和匍匐3种类型，抗旱抗寒者多属匍匐型，抗倒伏耐水肥者多为直立型。叶有突出膜状齿形的叶舌，但无叶耳。圆锥花序，有紧穗型、侧散型与周散型3种，普通栽培燕麦多为周散型，东方燕麦多为侧散型。分枝上着生10~75个小穗；每一小穗有两片稃片，内生小花1~3朵，也偶有4朵者，裸燕麦则有2~7朵。自花传粉，异交率低。除裸燕麦外，子粒都紧包在内、外稃之间。千粒重20~40克，皮燕麦稃壳率25%~40%。

【异名】油麦、玉麦、铃铛麦、苏鲁、元麦、米麦、野麦、雀麦、杜老草、牛腥草等。

【营养保健】燕麦的营养价值非常高，是一种低糖、高蛋白质、高脂肪、高能量食品。普通燕麦子粒中含蛋白质12%~18%，脂肪4%~6%，淀粉21%~55%，燕麦还含有维生素 B_1、维生素 B_2 和少量的维生素 E、钙、磷、铁、维生素 B_2 以及禾谷类作物中独有的皂甙。特别是维生素 B_1 居谷类粮食之首。

每100克燕麦含可食部100%，水分11.3克，能量1469千焦，蛋白质12.4克，脂肪7.4克，碳水化合物67.3克，膳食纤维8.6克，灰分1.6克，维生素 B_2 0.2微克，维生素 B_2 0.06微克，尼克酸4.5毫克，维生素E 1.45毫克，钙8毫克，磷339毫克，钾306毫克，钠20.9毫克，镁108毫克，铁4.2毫克，锌2.15毫克，硒6.13毫克，铜0.44毫克，锰3.06毫克。

（1）降低胆固醇：燕麦含有多种能够降低胆固醇的物质，如不饱和脂肪酸、可溶性纤维、微量元素锌、皂甙素等，都可以降低血液中胆固醇、甘油三脂等的含量。

（2）改善循环：燕麦还可以改善血液循环，经常食用燕麦，对中老年人的心脑血管病起到一定的预防作用。

（3）调节血糖：燕麦中的水溶性纤维具有平缓饭后血糖上升的效果，所以有助于糖尿病患者控制血糖。

（4）通导大便：燕麦纤维中含有 β-葡聚糖，可以改善消化功能、促进肠胃蠕动，并能改善便秘的症状。燕麦通导大便的作用，不仅是因为它含有植物纤维，而且在调理消化道功能方面，维生素 B_1、维生素 B_{12} 更是功效卓著。

（5）缓解压力：燕麦含有丰富的 B 族维生素，而 B 族维生素可以帮助解压，所以对生活步调快，常处于紧张状态的现代上班族来说，能缓解生活工作带来的压力。

此外，燕麦含有的钙、磷、锌等矿物质，也有预防骨质疏松、促进伤口愈合、预防贫血的功效，也是补钙佳品。

【食性】甘、平。归脾、胃经。

【功效】活血散淤，益气生津，通导大便，安神解郁，止汗。

【饮食调养】燕麦对动脉粥样硬化、冠心病、高血压、糖尿病均有较好的防治作用。对产后体虚、缺乳、多汗、盗汗、便秘或产后浮肿皆宜。

（1）用于降胆固醇：每日进食 100 克燕麦片，连续 3 个月，临床可见胆固醇、脂蛋白、甘油三脂及体重都明显降低。

（2）用于自汗盗汗：可用燕麦 30～60 克，水煎服；或用燕麦 30 克，米糠 15 克，水煎去渣，分 2 次服，每次服时加饴糖。

（3）用于减肥：麦片、小白菜少许，鸡蛋 1 个，盐、香油适量。锅内放水烧开，敲鸡蛋入内，用筷子在锅内把鸡蛋搅散，把小白菜切碎放入锅内，等水烧开后 1 分钟，把麦片放进去不停地搅动，烧开后关火，加盐，淋上香油即可。麦片不要放太多，否则会使汤很浓。另外，菠菜、茼蒿、荠菜、芹菜的叶子都可以煮麦片而且味道好。

（4）用于美容护肤：①将 1/4 杯燕麦用一些温水混合好，调成糊状。

粮食的营养与保健

用手直接涂抹在发红、发痒的皮炎患处，或者干燥的手肘、足跟、腿部，然后用温水冲净或者用温热毛巾擦干净即可，每天涂抹1～2次。②用半杯燕麦片、1/4杯牛奶、2汤勺蜂蜜混合在一起，调成干糊状，然后将这些原料放入一个用棉布等天然材料做成的小袋子中，将其悬挂在浴缸的水龙头下，流水就会均匀地将燕麦的营养精华稀释，冲入浴缸中。

（5）用于美容去痘：蜂蜜2汤勺，燕麦粉3汤勺，混合成糊状，薄薄敷在脸上，15分钟后用水清洗，蜂蜜不但有消炎的效果，还有修护皮肤的功能，而燕麦能有效吸收皮肤油分，保持油脂平衡。可每周使用1次。

【药膳食疗】

（1）玉米燕麦粥：玉米粉150克，燕麦仁100克。将燕麦仁去杂质洗净，放入锅内，加水适量煮至熟而开花。用冷水调成的稀玉米糊徐徐倒入煮熟的燕麦仁锅内，用勺不停搅匀，烧沸后改用小火稍煮，即可出锅。这种米烂粥稠，清香味浓。此粥对女性丰乳有利，宜多吃。

（2）燕麦片粥：将燕麦片50克放入锅内，待水开时搅拌，煮至熟软；或以牛奶250毫升与燕麦片煮粥，每日一次，早餐服用。具有降脂、减肥作用，适用于肥胖，高血脂症，冠心病患者及健康者日常保健用。

【饮食注意】①食用燕麦片的一个关键是避免长时间蒸煮，以防止维生素被破坏。燕麦片煮的时间越长，其营养损失就越大。生燕麦片需要煮20～30分钟；熟燕麦片则需要煮5分钟；熟麦片若与牛奶一起煮，只需要3分钟，中间最好搅拌一次。②裸燕麦的缺点是黏结力与弹性均较差，因缺少麦谷蛋白与麦胶原蛋白，所以，裸燕麦粉不能制作面包。③裸燕麦发热霉变比一般谷类进行迅速。发热的早期茸毛脱落，子粒失去光泽。粮温很高，如不及时处理，3～5天内即可导致霉变。轻者味苦，营养价值下降，重者全部霉烂，不能食用。裸燕麦霉烂后呈灰褐色，用手轻碾，即成细灰。

【按语】燕麦中富含可溶性纤维和不溶性纤维，能大量吸收人体内的胆固醇并排出体外，这正符合现代所倡导的"食不厌粗"的饮食观。用裸燕麦制成的燕麦片、燕麦粥是欧美各国人民的主要早餐食品，国际卫生组织把它正式列为推荐的保健食品。可用于产妇催乳、婴儿发育不良以及老年体弱症。

消费者挑选燕麦，首先要看它的原材料，如规格燕麦片系列产品的原料均为纯优质燕麦，经熟化加工后直接压制而成，最大程度地保持燕麦的营养成分。

【附】莜麦米的加工

将莜麦米置于蒸制的器中，用110℃~120℃的温度，蒸制4~6分钟，使莜麦米软化，而后将软化的莜麦米用辊磨轧扁，烘干后即成为"燕麦片"。

五、荞 麦

【基原】为蓼科一年生草本植物荞麦的果实。荞麦起源于中国，早在公元前5世纪的《神农书》中就有关于荞麦是当时栽培的八谷之一的记载。已知最早的荞麦实物出土于陕西咸阳杨家湾四号汉墓中，距今已有2000多年。另外陕西咸阳马泉和甘肃武威磨嘴子也分别出土过前汉和后汉时荞麦的实物。

唐以前，荞麦的种植似乎并不普遍，《齐民要术·杂说》中虽然有关于荞麦的记载，但现在一般认为"杂说"并非贾思勰所作，而可能出自唐人之手。农书中关于荞麦最为确切的记载则首见于《四时纂要》和孙思邈的《备急千金要方》。同时，荞麦在有关的诗文中也屡屡被提及。因此，一般认为荞麦是在唐代开始普及的。

荞麦的主要生产国有苏联、中国、波兰、法国、加拿大、日本、韩国等。我国荞麦的产量居世界第二位，主要产区在西北、东北、华北以及西南一带高寒山区。

荞麦作为一种传统作物在全世界广泛种植，但在粮食作物中占的比重很小。世界性荞麦多指的是甜荞，苦荞在国外视为野生植物，也有作饲料用的，只有我国有栽培和食用苦荞的习惯。中国栽培荞麦有4种，甜荞（F. esculentummoench）、苦荞（F. tataricum（L.）Gaertn）、翅荞（F. emarginatumm tissner）和米荞（Fagopyrum spp）。甜荞和苦荞是两种主要的栽培种。已收集到地方品种3000余个，其中甜荞、苦荞各占一半。此外，荞麦也有野生种，生于荒地或路旁。

【异名】翘、甜荞、三角麦、乌麦、棱麦、荞子、花荞、莜麦、花麦、

粮食的营养与保健

鹿蹄草、流注草、净肠草等，彝族称为"额"，四川省习惯叫荞子，又叫"胡荞麦"。

【营养保健】荞麦含有丰富的蛋白质、脂肪、芳香甙（芦丁）、烟酸、食物纤维，含有较多的胱氨酸和半胱氨酸。另外，荞麦中含的维生素 B_2、维生素 B_2、尼克酸、叶酸也高于其他主要粮食作物。

荞麦突出的营养保健特点是含有其他粮食不具备的芳香甙（芦丁）、烟酸、DFF 身体机能均衡因子。甜荞的芦丁含量一般为 0.02% ~ 0.8%，苦荞的芦丁含量一般为 1.08% ~ 6.6%。

每 100 克荞麦可食部 100%，含水分 13 克，能量 1356 千焦，蛋白质 9.3 克，脂肪 2.3 克，碳水化合物 73 克，膳食纤维 6.5 克，灰分 2.4 克，维生素 A 3 毫克，胡萝卜素 20 毫克，维生素 B_2 0.28 毫克，维生素 B_2 0.16 毫克，尼克酸 2.2 毫克，维生素 E 4.4 毫克，钙 47 毫克，磷 297 毫克，钾 401 毫克，钠 4.7 毫克，镁 258 毫克，铁 6.2 毫克，锌 3.62 毫克，硒 2.45 微克，铜 0.56 毫克，锰 2.04 毫克。

（1）降脂降压：荞麦中含有丰富的芦丁，芦丁有降血脂、降胆固醇、软化血管、预防高血脂症和脑血管出血的作用。近代医学表明，荞麦中的芦丁是黄酮类复合物，几乎对所有的中老年心脑血管疾病都有预防和辅助疗效。

据有关调查显示，世界上一些以荞麦为主食的国家和地区，高血压发病率较低，如在喜马拉雅山南面山腰居住的尼泊尔居民，不仅大量摄食荞麦面，而且还吃荞麦的茎和叶，因此这里很少有人患高血压病，平均寿命高于本国的平均寿命。

（2）降糖作用：荞麦中所含的芦丁能激活胰腺功能，促进胰岛素分泌，从而降低血糖。一项最新调查还表明，主食荞麦地区的人群，其糖尿病患病率明显低于不食用荞麦地区的人群。

（3）保护视力：荞麦所含的芦丁还有保护视力的作用。

（4）清理肠道：荞麦能清理肠道沉积的废物，因此民间称其为"净肠草"。

（5）抗菌消炎：荞麦中的某些黄酮成分还具有抗菌、消炎、止咳、平喘、去痰的作用。因此，荞麦还有"消炎粮食"的美称。

第四章　各类粮食的营养与保健

【**食性**】甘、凉。归脾、胃、大肠经。

【**功效**】益气生津，和胃净肠，清热燥湿。

【**饮食调养**】《本草纲目》载："降气宽肠，磨积滞"，"除白浊白带，脾积泄泻"。又"治痢疾"，"治绞肠痧痛"，"作饭食甚良"。"俗言一年沉肠胃者，食之亦消去也"。《简便方》载："肚腹微微作痛，出即泻，泻亦不多，日夜数行者，用荞麦面一味作饭，连食三四次即愈。"李时珍曰："予壮年患此两月，瘦怯尤甚。用消食化气药俱不效，一僧授此而愈，转用皆效，此可征其炼积滞之功矣"，《图经本草》有"实肠胃、益气力"的记述。《植物名实图考》载：荞麦"消积，俗呼净肠草"。

（1）用于腹部肿胀：荞麦面用公鸡血调成糊状，外敷腹部，有特效。

（2）用于心脑血管病：我国凉山彝族人民长期以苦荞为主食，尽管他们的生活条件很艰苦，但健康状况很好，患高血压、高血脂、糖尿病及心脑血管疾病的甚少。

（3）用于糖尿病：一般来说，糖尿病病人所吃食物中的能量部分以葡萄糖形式随尿排走，不能利用，加上胰岛素分泌不足或对胰岛素的敏感性下降，产生能量不足，所以糖尿病病人一个明显的症状就是乏力。食用荞麦后，这种症状会明显好转，同时血糖、尿糖下降也比较快，而且对胰岛素依赖型糖尿病患者也有效。

（4）用于慢性肠炎、便秘：因为荞麦含有大量的粗纤维，是利肠通便、清热排毒的最佳食品。一般建议每3天吃一次（100克）荞麦或荞麦面条，即有一定保健效果。

（5）用于保护视力：我国四川省凉山地区的彝族同胞大多身居高山、生活很艰苦，但他们的视力特别好，青年人参军后出了很多神枪手，被誉为"神枪手的故乡"。科学家们调查后认为，这与当地人的饮食有很大关系，当地人主要以吃荞麦为主，佐以少量玉米和土豆。

（6）用于火热症：荞麦中的苦味素有清热败火的作用。平时在食用细粮的同时，经常食用一些荞麦对身体很有好处。

【**饮食注意**】①孙思邈说荞麦"酸微寒，食之难消，久食诱风，令人头眩"，所以荞麦一次不可食用太多，否则易造成消化不良。②肿瘤患者应该忌食，否则会引起病情加重。③荞麦的主要营养特点是含有丰富的维

粮食的营养与保健

生素 E 和可溶性膳食纤维，这两种物质主要存在于其麦麸（外层）中，所以对于荞麦整粒进食比较好。④不可与平胃散及白矾同食。

【按语】荞麦可做面条、凉粉、扒糕、烙饼、蒸饺和荞麦米饭。还可以做挂面、灌肠、麦片与各种高级糕点和糖果。

荞麦在我国种植历史十分悠久，"头戴珍珠花，身穿紫罗纱，出门二三月，霜打就归家。"这是广泛流传于我国荞麦产区的歌谣，栩栩如生地把荞麦的特性描绘了出来。荞麦茎弱而翘然，开花时遍地如撒雪花，蜜蜂飞来飞去，真有一种娇态。所以唐朝诗人白居易《村夜》诗中曾有"独出前门望田野，月明荞麦花如雪"的美句。

【附】荞麦的饲用价值

荞麦子粒、皮壳、秸秆和青贮都可喂养畜禽，而广泛用作牲畜饲料的是碎粒、米糠和皮壳。荞麦碎粒是珍贵饲料，富含脂肪、蛋白质、铁、磷、钙等矿物质和多种维生素，其营养价值为玉米的70%。有资料报道，用荞麦粒喂家禽可提高产蛋率，也能加快雏鸡的生长速度；喂奶牛可提高奶的品质；喂猪能增加固态脂肪，提高肉的品质。荞麦比其他饲料作物生育期短，既可在无霜期短的地区直播，也可在无霜期长的地区复播，能在短时期内提供大量优质青饲料。

六、粟

【基原】为禾本科植物狗尾草属粟的子粒。粟起源于黄河中游的高海拔地区，距今 10000 年前的黄河流域居民就开始种植粟了。新石器时代文化遗址如西安半坡村、河北磁山、河南裴李岗等出土过粟，距今已有 8000 多年。7000 年前的瑞士湖畔居民遗迹中亦发现有粟，但在古代世界文献中粟称为"稷"，称粟的记载不多。

有学者认为粟是由中国经阿拉伯、小亚细亚、奥地利而西传到欧洲的。还有学者将中国列为粟的起源中心。粟的野生种狗尾草（S. viridis）在亚洲地区分布很广，中国的黄河流域更是多见。

甲骨文称粟为"禾"，秦汉以粟为五谷之首。中国也是世界上最大的粟生产国，占全世界粟产量的 90% 以上，其他生产粟的国家有印度、苏联、日本等。

通常中国粟被列为大粟亚种的普通粟。中国目前将粟划分为东北平原、华北平原、黄土高原和内蒙古高原4个生态型。

粟按成熟时间可分早、中、晚三熟；按子粒的性质可分为粳、糯两种；按颜色分黄谷、白谷、红谷、黑谷、狗屎谷（黑黄粒相间）。在我国种植最多的是黄色和白色的品种。

黄谷的优良品种是"狼尾巴"，谷穗大，通常一穗有3000多粒，谷穗长15厘米，成熟时都呈弯曲状，粒黄性暖，有黏性。妇女坐月子，都吃黄小米饭加红糖，以温暖经络，补养虚体。

红谷为红皮黄米粒，黏性最强，一般煮饭不破花，但它有一大特点，掺和南瓜做饭，南瓜饭就特别甜香，带有蜜津津的味道。这种南瓜饭凉了吃，味道更佳。

狗屎谷的粒稍暗，黏性大于黄谷，常用来做米糕。

粟既耐干旱、贫瘠，又不怕酸碱，特别是耐旱性更为突出。所以粟适于在我国东北、华北、西南等雨量较少、贫瘠的山区栽培，江南部分省份的山区在秋季常有干旱和土壤贫瘠的地方也有栽培。主要分布在黄河中下游地区、东北、内蒙古等地。

【异名】粟米、白粱粟、粢（zī）米、粟谷、硬粟、籼粟、黄粟；我国北方通称谷子，去壳后叫小米。古农书称粟为稷、粱，糯性粟为秫。

【营养保健】粟米营养丰富，含蛋白质、脂肪、碳水化合物、胡萝卜素、维生素 B_2、维生素 B_2、烟酸、钙、磷、铁等。

其蛋白质的含量高于大米、玉米面，相当于小麦面粉的含量，特别是人体必需的色氨酸、亮氨酸、精氨酸的含量比其他粮食都高，其中色氨酸每100克高达202毫克。但蛋白质中赖氨酸的含量很低，生物价只有57，故宜与大豆混合食用。

脂肪的含量高于大米和小麦面粉，脂肪酸中的油酸、亚油酸、亚麻酸平均占85.75%，其全部不饱和脂肪酸的组成比例，相当于玉米油、红花籽油等高级营养油的组成。

据测定，每100克含可食部100%，水分11.6克，能量1498千焦，蛋白质9克，脂肪3.1克，碳水化合物75.1克，膳食纤维1.6克，灰分1.2克，维生素 A 17毫克，胡萝卜素100毫克，维生素 B_2 0.33微克，维生素

粮食的营养与保健

B₂ 0.1 毫克，尼克酸 1.5 毫克，维生素 E 3.63 毫克，钙 41 毫克，磷 229 毫克，钾 284 毫克，钠 4.3 毫克，镁 107 毫克，铁 5.1 毫克，锌 1.87 毫克，硒 4.74 微克，铜 0.54 毫克，锰 0.89 毫克，碘 3.7 毫克。

另外，粟米还具有催眠作用。研究发现，色氨酸能促使大脑神经细胞分泌出一种使人欲睡的血清素——五羟色胺，可使大脑思维活动受到暂时抑制，人便会有困倦感。小米富含易消化的淀粉，可促进人体胰岛素的分泌，进一步提高进入脑内的色氨酸量，所以，睡前半小时适量进食小米粥，能帮助入睡，且无药物的副作用。

【食性】甘、咸、凉。归脾、胃、肾经。

【功效】健脾除湿，和胃安神，滋养肾气，清虚热，解诸毒。

【饮食调养】《本草纲目》载：小米"治反胃热痢，煮粥食，益丹田，补虚损，开肠胃。"故胃虚胃热、反胃作呕，失眠多梦，妇女黄白带下，糖尿病，产后口渴，宜食小米。《医通》载："一人淋病，素不服药，令专啖粟米粥，绝去他味，旬余减，月余瘥。"《食医心镜》载："治消渴口干，粟米炊饮，食之良。"

（1）用于消化不良引起的失眠：小米 15 克，制半夏 6 克，水煎服。

（2）用于胃下垂：小米炒糊，食之，每日 3 次。

（3）用于脾胃虚弱、身体消瘦：小米 15 克，大米 50～100 克，同煮粥，空腹食用。

（4）用于妊娠黄白带：小米、黄芪各 30 克，水煎服。

【饮食注意】粟米不宜与杏仁同食，食则令人呕吐腹泻。

【按语】粟米是一种营养丰富的食品，在国外小米也被评为"营养之王"而列为"保健食品"。粳小米可单独制成小米干饭、小米稀粥，磨成粉后可制成窝头、饼子、丝糕，与面粉掺和可制成各式发酵食品。糯小米还可包粽子、蒸年糕及制成饴糖等米糖食品。

小米熬粥浮在上面的一层米油，营养尤为丰富。王士雄《随息居饮食谱》中谓："米油可代参汤。"小米熬粥可单独煮熬，亦可添加大枣、红豆、红薯、莲子、百合等，熬成风味各异的营养品。北方产妇多喜服粟米粥，亦是婴幼儿良好食品。

【附】谷芽、米糠

1. 谷芽

为粟的成熟果实经发芽干燥而成。将粟谷用水浸泡后，保持适宜的温、湿度，待须根长至约 6 毫米时，晒干或低温干燥。

谷芽内含淀粉酶、淀粉、维生素 B、蛋白质等。谷芽的性能、功效、应用、用法用量均与稻芽相似，有良好的助消化作用，可晾干研末服用，治疗消化不良等。我国北方地区多习用。

2. 米糠

为谷子加工后剩余的糠粉，也是家畜的良好饲料，且米糠可以榨油。

七、黍

【基原】为禾本科黍属一年生草本植物黍的子粒。栽培黍的野生祖本可能是铺地黍或野糜子，黍的驯化栽培至少距今有 8000 年以上的历史，可上溯至万年左右。

从目前新石器时代的黍作遗存看，年代最早的要算甘肃省秦安县大地湾遗址一期文化层中出土的炭化黍粒，经 ^{14}C 测定，其年代为公元前 5850 年，可见黍在中国的栽培至少也有近 6000 年的历史了。大地湾黍的发现，不仅证明中国是黍的原产地，而且进一步明确了黍就发源于甘肃东南部一带。

黍类有很多种，如珍珠黍（是印度和非洲的普通粮食，适于贫瘠干燥土壤）、扫帚黍（在美国作为饲料，在亚洲和东欧供食用）、指黍（南亚和非洲部分地区的重要粮食作物）、日本黍（种植于日本和美国，用于制干草）等。

黍的主要生产国是印度、中国、尼日利亚和俄罗斯。种植面积最多的国家是前苏联和中国。黍类在亚洲多数地区以及俄罗斯和西非是重要的粮食作物。在美国和西欧主要作为牧草，但在中世纪的欧洲也作为主要谷物。黍在我国分布很广，主产于北方的部分地区，如河北、山东、山西等。

黍是禾谷作物中最耐旱的植物，生长期短，适宜在黄土高原的沙性土壤中生长，本区现在仍广泛种植。从属性分，有粳、糯两种。糯类叫做黍子、黏糜子或黄黍；粳类又叫做穄、糜子、糜稷。即糯者为黍，粳者为

粮食的营养与保健

稷。黍米从颜色分，有白色、黄色、红色等，黄色黏者称黄米，红色黏者称红莲米。

【异名】 黄黍、黄米、红莲米、糜子、黏糜子、糜稷、穄秬（黑黍）、秠（一稃二米）。《说文》称："黍，禾属而黏者也，以大暑而种，故谓之黍。"

【营养保健】 黍米主要含蛋白质、脂肪、碳水化合物、维生素、无机盐与微量元素、纤维素等。黍米中蛋白质含量相当高，特别是糯性品种，其含量一般在13.6%左右，最高可达17.9%。从蛋白质组分来分析，黍蛋白质主要是清蛋白，平均占蛋白质总量的14.73%。其次为谷蛋白和球蛋白，分别占蛋白质总量的12.39%和5.65%，醇溶蛋白含量最低，仅占2.56%，另外，还有64.67%的剩余蛋白。与小麦子粒蛋白质相比较，二者差异较大，小麦子粒蛋白中醇溶蛋白含量高，占蛋白质总量的71.2%，黏性强，不易消化。黍蛋白主要是水溶性清蛋白、盐溶性球蛋白及白蛋白，这类蛋白质黏性差，近似于豆类蛋白。因此，黍蛋白质优于小麦、大米及玉米。

每100克大黄米含可食部100%，水分11.3克，能量1460千焦，蛋白质13.6克，脂肪2.7克，碳水化合物71.1克，膳食纤维3.5克，灰分1.3克，维生素 B_2 0.3微克，维生素 B_2 0.09毫克，尼克酸1.4毫克，维生素E 1.79毫克，钙30毫克，磷244毫克，钾201毫克，钠1.7毫克，镁116毫克，铁5.7毫克，锌3.05毫克，硒2.31微克，铜0.57毫克，锰1.5毫克。

（1）通便排毒：黍的纤维素吸水浸胀后，使粪便的体积增加，可促进肠道蠕动，有利于粪便排出，减少细菌及其毒素对肠壁的刺激，可降低肠息肉及肿瘤的发病率。

（2）降低胆固醇：纤维素还能与饱和脂肪酸结合，防止血浆胆固醇的形成，从而减少胆固醇沉积在血管壁的数量，有利于防止冠心病的发生。

【食性】 甘、平。归脾、胃、大肠经。

【功效】 补中益气，健脾消食，除热愈疮。

【饮食调养】 黍子适应于脾虚食少、倦怠乏力、大便泄泻、胃寒、肉食积滞等症。

第四章　各类粮食的营养与保健

（1）用于脾虚诸症：脾虚食少，倦怠乏力，大便溏泄，或妇女带下清稀，舌淡苔白，脉虚弱沉迟。可用党参15～30克，炒黍米30克，加水4碗煎至1碗半，代茶饮，隔日服1次。

（2）用于阳虚诸症：体虚消瘦，腰膝酸软，畏寒等，羊肉250克，黍米400克，葱、盐适量，先将羊肉洗净，切块，熬汤，黍米、葱、盐同煮。任意食，以秋冬服食为宜。

（3）用于肉食积滞：胸满面赤不能食，可饮黄米泔水。

【饮食注意】黍子经过加工，可制成年糕、豆包、烙成黏饼，和糖一起食用，香甜可口。但多食不易消化。

【按语】黍米中碳水化合物的含量非常高，经过水解能产生大量还原糖，可制造糖浆、麦芽糖；黍子子粒外层皮壳有褐（黑）、红、白、黄、灰等多种颜色，经过化学处理可提取各种色素，是食品工业中天然的色素添加剂；黍子还是酿酒的好原料，用黍子酿酒，出酒多，且酒味香醇。宁夏固原县杨郎乡生产的杨郎白酒就是以黍子为原料酿制而成的。

除此以外，黍还常常作为开荒改造盐碱地和治理沙漠的作物。还用其生长期短的品种，作为自然条件恶劣地区的补救作物。

【附】龙爪稷

龙爪稷是一年生草本植物龙爪稷的子粒，又叫做穇（cǎn）子、龙爪粟、鸭足稷和鸡爪谷等。起源于非洲，有很长的栽培历史，主产区在印度。中国种植以西南各省较多，如西藏东南部、云南、贵州、四川等，湖北、江西、浙江、福建和广东等地也有。它是一种粒小、耐储存、耐旱谷物，含蛋白质7%左右。味甘、苦，性温。功能补中益气。主要用作粮食或酿制啤酒，也兼作饲料。

八、玉　米

【基原】为禾本科植物玉米属玉蜀黍的子粒。玉米原产于南美洲，7000年前美洲的印第安人就已经开始种植玉米。西欧殖民者侵入美洲后将玉米种子带回欧洲，之后在亚洲和欧洲被广泛种植。相传16世纪初由朝圣的教徒从麦加经中亚把一批玉米种子带到了新疆，又传到华北，继而传遍中国各地，即中国栽培玉米仅有400多年的历史。到目前为止，世界各大

粮食的营养与保健

洲均有玉米种植，其中北美洲和中美洲的玉米种植面积最大。

在我国玉米的种植分布也很广，是我国北方和西南山区及其他旱谷地区人民的主要粮食之一。山东省莱西市为玉米的重要产区之一。玉米和水稻、小麦并称为世界三大农作物。玉米的种植面积仅次于小麦和水稻，居世界栽培农作物的第三位。最大的玉米生产国是美国、中国和巴西。美国一个国家就生产了世界玉米的40%。中国的玉米产量居世界第2位。

玉米子粒根据其形态、胚乳的结构以及颖壳的有无可分为以下数种类型：

（1）硬粒型：也称燧石型。子粒多为方圆形，顶部及四周胚乳都是角质，仅中心近胚部分为粉质，故外表半透明有光泽、坚硬饱满。粒色多为黄色，间或有红、紫等色。子粒品质好，是我国长期以来栽培较多的类型，主要作食粮用。

（2）马牙型：又叫马齿型。子粒扁平呈长方形，由于粉质的顶部比两侧角质干燥得快，所以顶部的中间下凹，形似马齿。子粒表皮皱纹粗糙不透明，多为黄或白色，少数呈紫或红色，食用品质较差。它是世界上及我国栽培最多的一种类型，适宜制造淀粉和酒精或作饲料。

（3）半马齿型：也叫中间型。它是由硬粒型和马齿型玉米杂交而来。子粒顶端凹陷较马齿型浅，有的不凹陷仅呈白色斑点状。顶部的粉质胚乳较马齿型少，但比硬粒型多，品质较马齿型好，在我国栽培较多。

（4）粉质型：又名软质型。胚乳全部为粉质，子粒乳白色，无光泽。只能作为制取淀粉的原料，在我国很少栽培。

（5）甜质型：亦称甜玉米。胚乳多为角质，含糖分多，含淀粉较低，因成熟时水分蒸发使子粒表面皱缩，呈半透明状。多做蔬菜用。甜玉米对生产技术和采收期的要求比较严格，且货架寿命期短。

（6）甜粉型：子粒上半部分为角质胚乳，下半部分为粉质胚乳。我国很少栽培。

（7）蜡质型：又名糯玉米。子粒胚乳全部为角质，但不透明而且呈蜡状，胚乳几乎全部由支链淀粉所组成。食性似糯米，黏柔适口。糯玉米除鲜食外，还是淀粉加工业的重要原料。

（8）爆裂型：子粒较小，似米粒形或珍珠形，胚乳几乎全部是角质，质地坚硬透明，种皮多为白色或红色。尤其适宜加工爆米花等膨化食品。我国有零星栽培。

（9）优质蛋白型：又名高赖氨酸玉米。本品产量不低于普通玉米，而全子粒赖氨酸的含量比普通玉米高80%～100%，在我国的一些地区，已经实现了高产优质的结合。

（10）高油型：高油玉米含油量较高，特别是其中亚油酸和油酸等不饱和脂肪酸的含量达到80%，具有降低血清中胆固醇、软化血管的作用。此外，高油玉米比普通玉米蛋白质高10%～12%，赖氨酸高20%，维生素含量也较高，是粮、饲、油三兼顾的多功能玉米。

（11）紫玉米：是一种非常珍稀的玉米品种，为我国特产，因颗粒形似珍珠，有"黑珍珠"之称。紫玉米的品质虽优良特异，但棒小，粒少，亩产只有50公斤左右。

（12）有稃型：子粒被较长的稃壳包裹，子粒坚硬，难脱粒，是一种原始类型，无栽培价值。

（13）其他特用玉米和品种改良玉米，包括青贮玉米、食用玉米杂交品种等。

根据玉米的品质分类，分为常规玉米、特用玉米两类：

（1）常规玉米：是指最普通、最普遍种植的玉米。如硬粒型、马齿型、半马齿型等。

（2）特用玉米：指的是除常规玉米以外的各种类型玉米。传统的特用玉米如甜玉米、糯玉米和爆裂玉米等；新近发展起来的特用玉米有优质蛋白玉米、高油玉米和高直链淀粉玉米等。由于特用玉米比普通玉米具有更高的技术含量和更大的经济价值，国外把它们称为"高值玉米"。

根据玉米的粒色可分为三类：

（1）黄玉米：种皮为黄色，包括略带红色的黄玉米。美国标准中规定黄玉米中其他颜色玉米含量不超过5.0%。

（2）白玉米：种皮为白色，包括略带淡黄色或粉红色的玉米。美国标准中将淡黄色表述为浅稻草色，并规定白玉米中其他颜色玉米含量不超过2.0%。

（3）杂玉米：以上两类玉米中混有本类以外的玉米超过5.0%的玉米。

粮食的营养与保健

我国国家标准中定义为混入本类以外玉米超过 5.0% 的玉米。美国标准中表述为颜色既不能满足黄玉米的颜色要求，也不符合白玉米的颜色要求，并含有白顶黄玉米。

【异名】苞米、苞谷、包芦、玉蜀黍、大蜀黍、棒子、珍珠米、玉菱、玉菱、玉麦、六谷、玉高粱、芦黍、红颜麦、薏米包等。粤语称为粟米，台湾话称作番麦。因玉米有黄、白、红、黑诸色，颗粒如珠，色泽如玉，自清代以来，玉米就有了"珍珠米"的美称。

【营养保健】玉米含有蛋白质、脂肪、淀粉，还含有钙、磷、铁、镁、硒等人体必需的微量元素和维生素 B_1、维生素 B_2、维生素 E、维生素 A 原（胡萝卜素）、烟酸等多种营养物质。

据研究，每 100 克干玉米含蛋白质 8.7 克，脂肪 4.3 克，糖类 72.2 克，能量 1398.4 千焦，钙 22 毫克，磷 120 毫克，铁 1.6 毫克。其胚芽含 52% 不饱和脂肪酸，是精米精面的 4~5 倍；玉米油富含维生素 E、维生素 A、卵磷脂及镁等，含亚油酸高达 50%。德国营养保健协会的一项研究表明，在所有主食中，玉米的营养价值和保健作用是最高的。

此外，特种玉米的营养价值要高于普通玉米。比如，甜玉米的蛋白质、植物油及维生素含量就比普通玉米高 1~2 倍；"生命元素"硒的含量则高 8~10 倍；其所含有的 17 种氨基酸中，有 13 种高于普通玉米。

（1）降胆固醇：玉米中含有丰富的脂肪，玉米脂肪的特点是 50% 以上为亚油酸，并含有卵磷脂、维生素 E 等高级营养素，具有降低血清胆固醇、抗血管硬化、防治冠心病等作用。

（2）防治高血压：科学家研究发现，中美洲的印第安人几乎没有高血压病，原因是这里的居民以玉米为主食，玉米中所含的钙能降压。

（3）预防心脏病：玉米中的维生素 B_2、维生素等营养物质，对预防心脏病等，有很大的好处。

（4）健脑作用：玉米中含有多种人体必需的氨基酸，能促进大脑细胞的正常代谢，有利于排除脑组织中的氨，具有防止脑功能退化的作用。

（5）延缓衰老：玉米的胚芽和花粉里含有大量维生素 E，这种天然维生素 E 则有促进细胞分裂、延缓衰老等作用。玉米中还含有一种长寿因子——谷胱甘肽，它在硒的参与下，生成谷光甘肽氧化酶，具有恢复青春，延缓衰老的功能。

（6）通导大便：玉米中含有的纤维素比大米、面粉高 6～8 倍，纤维素具有吸水膨胀、刺激胃肠蠕动的特性，因此缩短了粪便在胃肠道停留的时间，即可防止肠管内压上升引起阑尾炎，腹压增加引起疝气、静脉曲张，又可防治便秘，也可防止肠内微生物产生致癌物质引起结肠癌等。玉米中还含有较多的镁元素，也能帮助血管舒张，加强肠壁蠕动，增加胆汁，促使人体内废物的排泄。

（7）防癌作用：玉米具有抗癌作用。一是玉米含有大量的赖氨酸，这种赖氨酸不但能控制肿瘤的生长，而且还能抑制抗癌药物对身体产生的毒副作用；二是玉米含有抗癌因子谷胱甘肽，谷胱甘肽能控制致癌物质，使其失去活力，并从消化道把致癌物驱出体外；三是玉米含有硒，硒元素能加速体内过氧化物的分解，使肿瘤细胞得不到氧的供应，从而抑制肿瘤的生长，并加速体内废物的排除；四是玉米含有较多纤维素，能促进胃肠蠕动，缩短食物残渣在肠内的停留时间，并减少分泌毒素的腐质在肠内的积累，把有害物质带出体外，从而减少肠癌的发病率；五是玉米中所含木质素，可使人体内的巨噬细胞的活力提高 2～3 倍，从而抑制肿瘤的发生；六是玉米中胡萝卜素被人体吸收后能转化为维生素 A，具有防癌作用。

（8）其他：玉米还含有一种物质，可起到很好的醒酒作用。

【食性】甘、平。归胃、肾经。

【功效】调中和胃，延缓衰老，利尿利胆，降脂降压。

【饮食调养】《本草纲目》曰："调中开胃。"《医林篡要》云："益肺宁心。"《本草推陈》说："为健胃剂，煎服亦有利尿之功。"

（1）用于消化不良：煮嫩玉米吃，对经常便秘或消化不良者和老年人更是有益。

（2）用于老年病：玉米粉与粳米适量煮粥，适用于冠心病、高血压、高血脂、心肌梗塞、动脉硬化等心血管疾病。

（3）用于慢性肾炎：玉米粒煎汤代茶，早晚饮服，有效治疗慢性肾炎水肿。

（4）用于糖尿病：江西《锦方实验录》记载：一患者患糖尿病 2 年多，经治无效。后以玉米 500 克，分 4 次煎服，久食而愈。

（5）用于口角炎：玉米中含有大量的维生素 B_2，可治疗口角炎、阴囊炎等维生素 B_2 缺乏症。

（6）用于眼睛老化：玉米含有的黄体素、玉米黄质，可以对抗眼睛老化。

（7）用于癌症：据日本遗传学家确认，玉米油可使二硝基芪致癌物质及煎烤鱼、肉时形成的杂环胺的诱癌变作用降低92%，因此，世界上发达国家已改变了玉米是"粗粮"的旧观念，美国人称玉米为"皇冠上的珍珠"，法国人称玉米为"国宝"，日本每年要大量进口玉米，人们已视玉米为"黄金食品"，可使人健康长寿。

【饮食注意】 ①玉米含的蛋白质比精米、精面都高。但是玉米蛋白质中的赖氨酸和色氨酸要比豆类、大米、白面含量低。以玉米为主食会导致营养不良，所以把玉米同豆类、精米、精面混在一起吃，玉米蛋白质的营养价值可大大提高。有人实验，日常食用大米的蛋白质利用率约58%。如果2份大米加1份玉米，其利用率可提高到71%，这是蛋白质互补作用的结果。②因能刺激胃肠蠕动，脾胃虚弱者，食玉米后易腹泻。③玉米发霉后能产生致癌物，所以发霉玉米绝对不能食用。④吃玉米时应把玉米粒的胚尖全部吃进，因为玉米的许多营养都集中在这里。⑤玉米熟吃更佳，尽管烹调使玉米损失了部分维生素 C，却获得了更高的、更有营养价值的抗氧化剂活性。⑥鲜玉米的水分、活性物、维生素等各种营养成分也比老熟玉米高很多，因为在储存过程中，玉米的营养物质含量会快速下降。

【按语】 玉米是粗粮中的保健佳品，对人体的健康颇为有利。玉米子粒主要供食用，可烧煮、磨粉或制膨化食品。工业上用制酒精、啤酒、乙醛、醋酸、丙酮、丁醇等。玉米淀粉制成的糖浆无色透明，果糖含量高，可制糖果、糕点、面包、果酱及饮料。

由于各种颜色之间的玉米可以相互传播花粉，风力大时，相邻的两块玉米田间相互授粉以至于产生了一穗多种色彩的玉米。有时，玉米开花后碰上雨天或大风天，就会影响玉米的授粉，造成了缺粒和果实不饱满的现象。

穗轴可制糠醛；茎秆可造纸和隔音板；果穗苞叶可编制手工艺品。

【其他】玉米的饲用价值

蜡熟期收获的茎叶、果穗，是牲畜特别是奶牛的良好青贮饲料。饲用时的营养价值和消化率均高于大麦、燕麦和高粱。

玉米子粒是谷类饲料的主体：首先，玉米是鸡最重要的饲料原料，其能值高，最适于肉用仔鸡的肥育用，而且黄玉米对蛋黄、爪、皮肤等有良好的着色效果。在鸡的配合饲料中，玉米的用量高达50%～70%。其次，玉米养猪的效果也很好，但要避免过量使用，以防热能太高而使背膘厚度增加。由于玉米中缺少赖氨酸，所以任何体重的猪日粮中均应添加赖氨酸。再次，玉米适口性好，能量高，可大量用于牛的混合精料中，但最好与其他体积大的糠麸类饲料并用，以防积食和引起膨胀。

【附】玉米须、玉米油

1. 玉米须

为玉米的花柱，因花柱呈丝状，故名"玉米须"。玉米须含维生素 K、谷固醇、葡萄糖、有机酸等成分。药理研究证明，玉米须有利尿、降压、促进胆汁分泌、增加血中凝血酶和加速血液凝固等作用。玉米须性平，味甘淡无毒。将玉米须在授粉前割下阴干存放，煎水代茶，对肾炎、膀胱炎、胆囊炎、风湿痛、高血压和肥胖病均有一定疗效。

（1）用于慢性肾炎：玉米须6克，玉米30粒，蝉衣3只，蛇蜕一条，水煎服，每日1剂，疗程1个月；或用玉米须、西瓜皮、冬瓜皮、赤小豆适量，煎水代茶饮，持续服用，对慢性顽固性肾炎效果较好。

（2）用于膀胱炎，小便疼痛：玉米须30克，车前子15克，甘草6克，或加小茴香3克，水煎服。

（3）用于尿路结石，膀胱结石：玉米须150克，水煎服。

（4）用于咳嗽：玉米须30克，陈皮10克，水煎服。

（5）用于肝炎，黄疸，胆囊炎，胆结石：玉米须30克，茵陈、蒲公英各15克，水煎服。

（6）用于鼻血、吐血：玉米须、香蕉皮各30克，黄栀子10克，水煎后冷饮。

2. 玉米油

长期食用玉米油，可降低血中胆固醇，并软化血管，是老年人的理想

粮食的营养与保健

食用油。从健康的角度说，食用玉米油远比食用花生油及其他植物油要好。

九、高　粱

【基原】为禾本科一年生草本植物蜀黍的子粒。高粱起源问题目前尚无定论，但是许多研究者认为高粱原产于非洲，以后传入印度，再到远东。非洲是高粱变种最多的地区。斯诺顿（1935）收集到 17 种野生种高粱，其中有 16 种来自非洲。他所确定的 31 个栽培种里，非洲占 28 种；158 个变种里，只有 4 个种在非洲以外的地方。

关于我国高粱的起源和进化问题，多年来一直有两种说法：一说由非洲（或印度）传入，二说中国原产。因为高粱在中国经过长期的栽培训化，渐渐形成独特的中国高粱群，许多植物学形态与农艺性状均明显区别于非洲起源的各种高粱。另外，中国高粱与非洲高粱杂交，容易产生较强的杂种优势，说明两种高粱遗传距离差异较大。我国古代先民早在 5000 前在黄河流域就已经培育出高粱。如《本草纲目》记载，"蜀黍北地种之，以备粮缺，余及牛马，盖栽培已有四千九百年"。

高粱抗旱耐涝，不怕盐碱，适应性强，无论平原、沃土，还是干旱丘陵、瘠薄山区，均可种植。高粱在全球栽培面积以印度最多，中国居第二位，主产于东北、内蒙古、山西、山东等地，以东北各地最多。

按性状及用途可分为食用高粱、糖用高粱、帚用高粱三类。茎秆较短无糖汁的叫高粱；秆高茎细含甜汁的叫芦穄，即糖用高粱；还有可做扫帚的叫散穗高粱。高粱按子粒的性质可分为粳、糯两种。高粱按子粒的颜色可分为白、红、黄、黑等，白壳高粱的质量最好，白高粱多产于东北地区，粒大坚实，焖好饭后，香气袭人，口感微甜，不次于大米饭，东北一般叫做"白脸米饭"；红高粱颗粒较大，但口感不好，米硬难熟，吃多了可致便秘，故多作制酒原料，红高粱主产于内蒙古、河北、山西、山东等地。

【异名】蜀黍、番黍、蜀秫、秫秫、秫米、木稷、芦粟、乌禾、芦穄。因为我国蜀地民族最先种植的，古书上叫蜀黍，高粱的子实很像"粱"（即粟），植株高大，所以叫"高粱"。

【营养保健】高粱的营养价值很高，含有蛋白质、脂肪、淀粉、糖类、

维生素 B_1、维生素 B_2、维生素 B_6、泛酸、烟酸、钙、磷、铁、丹宁等。

蛋白质含量略高于玉米，但缺乏赖氨酸和色氨酸，蛋白质消化率低，原因是高粱醇溶蛋白质的分子间交联较多，而且蛋白质与淀粉间存在很强的结合键，致使酶难以进入分解。

脂肪含量略低于玉米，脂肪酸中饱和脂肪酸也略高，所以，脂肪熔点也略高些，亚油酸含量也较玉米稍低。

淀粉和糖类是饲用高粱中的主要成分，也是畜禽的主要能量来源，淀粉含量与玉米相当，但高粱淀粉颗粒受蛋白质覆盖程度高，故淀粉的消化率低于玉米，有效能值相当于玉米的 90% ~ 95%。

矿物质中钙、磷含量与玉米相当。维生素中 B_1、维生素 B_6 含量与玉米相同，泛酸、烟酸、生物素含量多于玉米，但烟酸和生物素的利用率低。

丹宁属水溶性多酚化合物，也称鞣酸或丹宁酸。丹宁具有强烈的苦涩味，影响适口性；丹宁能与蛋白质和消化酶结合，影响蛋白质和氨基酸的利用率。

每 100 克可食部 100%，含水分 10.3 克，能量 1469 千焦，蛋白质 10.4 克，脂肪 3.1 克，碳水化合物 74.7 克，膳食纤维 4.3 克，灰分 1.5 克，维生素 B_2 0.29 微克，维生素 B_2 0.1 毫克，尼克酸 1.6 毫克，维生素 E 1.88 毫克，钙 22 毫克，磷 329 毫克，钾 281 毫克，钠 6.3 毫克，镁 129 毫克，铁 6.3 毫克，锌 1.64 毫克，硒 2.83 微克，铜 0.53 毫克，锰 1.22 毫克。

【食性】甘、涩，温。归脾、胃经。

【功效】温中健脾，渗湿止痢。

【饮食调养】《纲目》载："温中，涩肠胃，止霍乱。黏者与黍米功同。"《四川中药志》载："益中，利气，止泄，去客风顽痹。治霍乱，下痢及湿热小便不利。"高粱常用于脾虚湿困，消化不良及湿热下痢、小便不利等症。

用于小儿消化不良：①用高粱米 50 克，大枣 10 个，大枣去核炒焦、高粱米炒黄，共研细末。两岁每次服 10 克，3 ~ 5 岁每次服 15 克，日服 2 次。②取碾高粱的第 2 遍糠，除净硬壳等杂质，置锅中加热翻炒，至呈黄褐色，有香味时取出放冷。每天 3 ~ 4 次，每次 1.5 ~ 3 克口服。治疗 104 例，其中 100 例多在服药 6 次以内治愈，4 例无效。

【药膳食疗】

（1）高粱米粥：高粱米 50 克，冰糖适量。煮高粱米为粥（高粱米需煮烂），加入冰糖再煮，糖化后温服。功效是健脾益胃，生津止渴。

（2）高粱螵蛸粥：高粱米 100 克，桑螵蛸 20 克。先将桑螵蛸用清水煎熬 3 次，收滤液 500 毫升；然后将高粱米洗净，放入沙锅内掺入桑螵蛸汁，置火上煮成粥，至高粱米烂时即成。功效是和胃健脾，益气消积。

（3）高粱猪肚粥：高粱米 90 克，莲子 60 克，猪肚 100 克，稻米 50 克，胡椒 3 克，盐 3 克。将高粱米炒至褐黄色有香味为止，除掉上面多余的壳；把猪肚、莲子肉、稻米、胡椒洗净，与高粱米一起放入瓦锅内，加清水适量，武火煮沸后，文火煮至高粱米熟烂为度，调味即可。

（4）高粱米糕：高粱米 600 克，红豆沙 300 克，白砂糖 150 克。将高粱米洗净，倒入适量清水，放入笼内蒸熟，备用。用 2 只瓷盘，取一半高粱米放入盘内铺平，用手压成 2 ~ 3 厘米厚的片，剩下的高粱米放入另一盘内压好。将压好的高粱米扣在案板上，用刀抹平，再铺上厚薄均匀的豆沙馅，然后将另一半高粱米扣在豆沙馅上，再用刀抹平，食用时用刀切成菱形块，放入盘内，撒上糖，即可食用。

【饮食注意】高粱皮膜中含有色素和鞣酸，因而如加工过粗则饭色红、味涩，会妨碍蛋白质消化，而且口感略差。如果与米、麦等交叉食用，可使不同氨基酸和各种营养素互相调补，提高营养价值。

【按语】高粱米用途很广，高粱子粒加工后即成为高粱米，在我国、朝鲜、原苏联、印度及非洲等地皆为食粮。粳性高粱米可制干饭、稀粥，磨成粉后可做成饼子、窝头、茶汤等；糯性高粱米可包粽子、制切糕，磨成粉可做元宵、年糕、饼团等。在我国高粱的主要用途是酿造上等白酒。甜高粱还可以用于酒精工业和食糖工业。

糖用高粱的秆可制糖浆或生食；帚用高粱的穗可制扫帚；高粱的新鲜叶片或苗含有羟氰甙，动物吃下去后，在胃内会形成剧毒的氢氰酸。必须阴干青贮，或晒干后才能搭配作饲料，不能把鲜的叶片或苗当作饲料来喂牲口。

十、薏 米

【基原】 为禾本科一年生或二年生草本植物薏苡的种仁。原产于越南，我国种植薏米可追溯到夏代以前的原始社会。据东汉王充《论衡》记载："禹母吞薏苡而生禹，故夏姓曰姒。"《帝王世纪》记载："有莘氏吞苡而生禹……"据《后汉书·马援传》记载，东汉大将马援官至伏波将军，马援远征交趾时，地处南疆，南方山林湿热郁蒸、瘴气横行，兵士水土不服，患了"瘴气"，队伍无法行进了。当地百姓得知，向马援献计：作薏米汤给士兵服用，治好此病。他也经常食用薏米，不但能轻身省欲，而且能战胜瘴疟之气，屡立战功。

苡米在我国各地均有栽培，主产福建、河北、辽宁等地。长江以南各地有野生。

【异名】 苡米、益米、薏仁、薏仁、薏仁米、米仁、薏苡、水玉米、土玉米，回回米、珍珠米、草珠儿、薏珠子、菩提子、必提珠。俗称药玉米，古称薏米为"明珠"。

此外，产于四川、青海的高寒地带者，俗称川谷，又因它属粮食作物，仅次于"五谷"，人们又称它为六谷子。

【营养保健】 薏米含有蛋白质、脂肪、碳水化合物、粗纤维、维生素 B_1、维生素 B_2、烟酸、钙、磷、铁、锌等矿物质。具研究薏米所含蛋白质中人体必需的 8 种氨基酸齐全。脂肪中含有丰富的亚油酸，所含 B 族维生素和钙、磷、铁、锌等无机盐也十分可观。

每 100 克含可食部 100%，水分 10.9 克，能量 1431 千焦，蛋白质 11.3 克，脂肪 2.4 克，碳水化合物 73.5 克，膳食纤维 4.8 克，灰分 1.9 克，维生素 B_2 0.07 微克，维生素 B_2 0.14 毫克，尼克酸 2.4 毫克，维生素 E 4.89 毫克，钙 42 毫克，磷 134 毫克，钾 163 毫克，钠 2.3 毫克，镁 50 毫克，铁 7.4 毫克，锌 1.39 毫克，硒 3.06 微克，铜 0.26 毫克，锰 1.51 毫克。

（1）抗癌作用：薏米所含的薏苡仁酯对癌细胞有抑制作用，特别是对胃癌、子宫颈癌、绒毛膜上皮癌等有特殊功效。临床应用薏苡仁配伍的煎剂，观察到对晚期癌症患者有延长生命的效果，并发现给癌症患者腹腔注

粮食的营养与保健

射薏苡仁丙酮提取物后，经腹水检查，癌细胞的原生质发生显著变性。

（2）美容作用：薏米还是一种美容食品，经常食用可以保持人体皮肤光泽细腻，减少皱纹，消除粉刺、老年斑、妊娠斑等，对脱屑、痤疮、皲裂、皮肤粗糙等都有良好疗效。另外，它对紫外线有吸收能力，其提炼物加入化妆品中还可达到防晒和防紫外线的效果。

（3）去疣作用：薏仁中含有丰富的蛋白质分解酵素，能使皮肤角质软化，由病毒感染引起的赘疣，或皮肤粗糙不光滑者，长期服用有一定的疗效。

（4）降血糖：薏仁有降血糖作用，对高血糖有特殊功效。

（5）抑制骨骼肌收缩：薏苡仁可抑制骨骼肌收缩，能减少肌肉挛缩，缩短其疲劳曲线。并具有镇静、镇痛及解热作用。对风湿痹痛患者有良效。

（6）护发作用：薏苡仁具有营养头发、防止脱发，有使头发光滑柔软的作用。

（7）诱发排卵作用：顽固性无排卵症患者服用薏苡仁为主药的方剂后，可显著改善下丘脑的机能。实验显示薏苡仁的提取物也诱发金仓鼠排卵，其促排卵的活性物质是阿魏酰豆甾醇和阿魏酰菜子甾醇。9:1 反式阿魏酰豆甾醇和反式阿魏酰菜子甾醇在 200 微克/天剂量时显示诱发金仓鼠排卵作用。

（8）增强免疫力：薏苡仁油对细胞免疫、体液免疫有促进作用。

（9）能抑制呼吸中枢，使末稍血管特别是肺血管扩张。还具有降血钙、延缓衰老的作用。

【食性】甘、淡，微寒。归脾、胃、肺经。

【功效】健脾化湿，舒筋除痹，防癌抗癌，美容去痘。

【饮食调养】《本经》载：薏米"主筋急拘挛，不可曲伸，风湿痹"。"久服轻身益气"。《本草纲目》载："苡仁健脾，益胃，补肺，清热，祛风，祛湿，增食欲。"《中国植物图鉴》载："治肺水肿，湿性肋膜炎，排尿障碍，慢性胃肠炎，慢性溃疡。"

健康人平时经常吃些薏米食品，即可化湿、利小便、使身体轻捷舒适，又能减少癌症发病的机会。薏米对于久病体虚、病后恢复期患者，老人、产妇、儿童都是比较好的药用食物。薏米与红枣、枸杞、红糖等共煮常作为餐馆、酒店的一道名菜。还是制作高级糕点、酿造高档白酒的理想原料。

（1）用于脾虚水肿：薏米 30 克，红枣 30 克，山药 30 克，煮水常服。

（2）用于风湿身痛、筋脉拘挛：薏米 100 克，煮成稠米粥，另用糯米 500 克煮成干米饭，与苡米粥混合，待冷，加酒曲适量拌匀（与制作糯米酒方法相同），发酵成为酒酿，每日随量佐餐食用。有健脾胃，祛风湿，强筋骨之作用，可治风湿性关节炎。

（3）用于癌症：用薏米仁 25 ~ 50 克，野菱角（带壳切开）150 ~ 200 克，共煮浓汁，每日 2 次分服，连服 1 个月为 1 疗程。对胃癌、子宫癌，皮肤癌等有抑制作用。尤以脾虚湿盛的消化道肿瘤及痰热挟湿的肺癌更为适宜。

【药膳食疗】

（1）薏米红枣汤：薏米 100 克，红枣（去核）12 粒，水 4 碗，水煎饮用。能活血养颜，减少面部蝴蝶斑或产后面色黑滞，也治疗恶露不绝等。妇女产后饮用，既调理身体，亦能滋润皮肤。

（2）薏米莲子百合粥：薏米 50 克，莲子（去心）30 克，百合 20 克，先煮烂薏米、莲子、百合，再与粳米 50 克同煮粥，用适量红糖（或蜂蜜）调味食用。有健脾止泻，清肺，健肤美容的作用，适用于大便溏泻，下肢湿疹，面部痤疮等症。

（3）薏米白果汤：薏米 60 克，白果（去壳）8 ~ 12 枚，同煮汤，用适量白糖（或冰糖）调味食用。有健脾除湿，清热排脓作用。适用于脾虚泄泻，痰喘咳嗽，小便涩痛，水肿等症。

（4）薏米粥：薏米 30 ~ 60 克，粳米 50 克，同煮粥，用适量白糖调味食用。有健脾和胃，除湿利水，抗癌消炎的作用。适用于体虚或老年人下肢浮肿、脚气、食欲不振、脾虚腹泻及风湿痹痛、牛皮癣、湿疹、风湿腰病等症。此方也可作为防治癌肿的一种辅助食疗方，但孕妇不宜食。

（5）薏米绿豆百合粥：薏米 50 克，绿豆 25 克，鲜百合 100 克，白糖适量。绿豆、米仁加水煮至五成酥后放入百合，再用文火焖至酥如粥状，加白糖食用。此粥清热解毒，除烦热，疗湿疹。适用于面部扁平疣、痤

粮食的营养与保健

疮、雀斑、皮肤干燥等症。

（6）薏仁去痘汤：薏仁 30 克，紫背天葵草、鱼腥草、蒲公英（以上三者择一）鲜品 30 克（或干品 15 克）。加水 800 毫升。一起放入锅中，加水以大火烧开，再转小火熬煮 20～30 分钟。过滤出汤汁，大约有 500 毫升。于两餐之间分 3 次饮用。亦可加水冲淡，当作普通茶水，在任何时候饮用。若一次熬煮了大量的汤汁，可放冰箱储存，取出时加温饮用。此方能清热解毒，抗菌消炎，连续饮用约 3 个月即可使青春痘脓疱消散。同时薏仁有利尿通血脉去油脂的作用，长期服用能去色素、化斑。

（7）薏米美容酒：薏米粉 100 克装瓶内，加入米酒 400 毫升浸泡，一周后即可饮用，每次服 20 毫升，若用橘汁、柠檬汁、苹果汁等水果汁调和饮用效果更好。有健肤美容作用，可治皮肤粗糙、扁平疣等症。

【饮食注意】薏仁有使身体冷虚的作用，故怀孕及月经期妇女，要暂停使用。薏米的常用量为 20～30 克，病重者可加大剂量至 60 克。脾虚便难慎服。

【按语】薏米是常用的中药，又是普遍常吃的食物，公元 754 年我国即把它列为宫廷膳食之一。由于薏米营养价值很高，被称为"世界禾本植物之王"。在欧洲，它被称为"生命健康之禾"。在国际市场上享有"健康米王"的盛誉。18 世纪，薏米从中国传入日本，日本民间用薏苡作为珍贵的保健营养品。

【附】薏苡根、薏米叶

自古以来薏米就是一种声誉卓著的滋补食品，薏米、薏根、薏叶都是良药。

1. 薏苡根

薏米的根中所含的薏米醇，有降压、利尿、解热等作用，适用于高血压、泌尿系结石、尿路感染等。

2. 薏米叶

可煎水作茶饮，其味清香，饮之可以利尿。

第二节 豆 类

豆类主要有大豆、绿豆、红小豆、豌豆、蚕豆、豇豆、鹰嘴豆、利马豆、黎豆、木豆等。按豆类的营养组成可分为两类：

1. 大豆类

大豆为豆科大豆属一年生草本植物大豆的子粒。大豆原产于我国，已有五千多年的种植历史。现在世界各国栽培的大豆都是我国直接或间接传去的。大豆古代称"菽"，《诗经》中有："中原有菽，庶民采之"的记载；秦汉以后就以"豆"字代替"菽"字了。

目前，美国、巴西、阿根廷已成为世界大豆主要生产和出口国。我国大豆产区主要集中在东北松辽平原、华北黄淮平原及山西、陕西等地。东北地区大豆粒大质优，含油率高，年总产量占全国的40%，是我国最大的大豆生产基地，黄淮平原是中国大豆第二大产区，产量占全国的30%。

根据大豆的种皮颜色和粒形分为五类：黄大豆（按粒形又分东北黄大豆和一般黄大豆两类）、青大豆、黑大豆、其他大豆（种皮为褐色、棕色、赤色等单一颜色的大豆）、饲料豆（即秣食豆，一般子粒较小，呈扁长椭圆形，两片子叶上有凹陷圆点，种皮略有光泽或无光泽）。

大豆按其播种季节的不同，可分为春大豆、夏大豆、秋大豆和冬大豆四类，但以春大豆占多数。春大豆一般在春天播种，10月收获。我国主要分布于东北三省，河北、山西中北部，陕西北部及西北各省（区）。夏大豆大多在小麦等冬季作物收获后再播种，耕作制度为麦豆轮作的一年二熟制或二年三熟制。我国主要分布于黄淮平原和长江流域各省。秋大豆通常是早稻收割后再播种，当大豆收获后再播冬季作物，形成一年三熟制。我国浙江、江西的中南部、湖南的南部、福建和台湾的全部种植秋大豆较多。冬大豆主要分布于广东、广西及云南的南部。这些地区冬季气温高，终年无霜，春、夏、秋、冬四季均可种植大豆。所以这些地区有冬季播种的大豆，但播种面积不大。

2. 另一类是除大豆外的杂豆类

即绿豆、红小豆、豌豆、蚕豆、豇豆、鹰嘴豆、利马豆、黎豆、木豆等，含有较高的糖类，中等量的蛋白质和少量的脂肪。中医对黄豆以外各种豆称杂色豆。此外，以作蔬菜为主食的豆类则分在蔬菜类讲述。

蛋白质是由多种氨基酸组成，现已发现的氨基酸有 20 余种。氨基酸从来源上可分为非必需氨基酸和必需氨基酸两类，非必需氨基酸可以在体内合成，不一定要从食物中获得；而必需氨基酸是人体需要而又不能在体内合成，必须由食物中的蛋白质供给的，所以称为"必需氨基酸"。必需氨基酸共有 8 种，即色氨酸、赖氨酸、蛋氨酸（甲硫氨酸）、苯丙氨酸、苏氨酸、缬氨酸、亮氨酸和异亮氨酸。必需氨基酸存在于各种食物蛋白质中，含量不一，其中卵蛋白、大豆蛋白等蛋白质中各种氨基酸都较完全，营养价值较高，在营养学上属"完全蛋白质"，或者称"全价蛋白质"。

豆类蛋白质含量一般为 20% ~ 30%，其营养价值接近于动物性蛋白质，是最好的植物蛋白，也是我国人民膳食中蛋白质的良好来源。豆类所含的脂肪以大豆最高，可达 18%，因而可作食用油的原料。豆类含糖量以蚕豆、赤豆、绿豆、豌豆含量较高，约为 50% ~ 60%。因此，杂豆类供给的热量也是相当高的。豆类中的维生素以 B 族维生素最多，还含有少量的胡萝卜素。此外，豆类富含钙、磷、铁、镁、钾等无机盐，是膳食中难得的高钾、高镁、低钠食品。

多数豆类性味甘平，具有补益气血，健脾和胃之功能。脾胃虚弱，食少泄泻、体倦乏力或气虚便秘者宜食用，能获强壮之功效。

我国传统饮食讲究"五谷宜为养，失豆则不良"，意思是说五谷是有营养的，但没有豆子就会失去平衡。现代营养学也证明，每天坚持食用豆类食品，只要两周的时间，人体就可以减少脂肪的含量，增强免疫力，降低患病的概率。因此，很多营养学家都呼吁，用豆类食品代替一定量的肉类等动物性食品，是解决城市中人营养不良和营养过剩双重负担的最好方法。

一、黄　豆

【基原】为豆科植物大豆的黄色种子。黄豆原产于中国，是野生大豆

第四章　各类粮食的营养与保健

进化而来，其栽培史有五千多年。全国各地都有栽培。

【异名】菽。

【营养保健】大豆营养丰富，含蛋白质、脂肪、碳水化合物、胡萝卜素和维生素 B_1、维生素 B_2、维生素 A、维生素 E、烟酸以及异黄酮类、皂甙类等。尚含叶酸、亚叶酸、泛酸、维生素 B_{12}、钙、磷、铁等。

每 100 克黄大豆可食部 100%，水分 10.2 克，能量 1502 千焦，蛋白质 35 克，脂肪 16 克，碳水化合物 34.2 克，膳食纤维 15.5 克，灰分 4.6 克，维生素 A 37 毫克，胡萝卜素 220 毫克，维生素 B_2 0.41 微克，维生素 B_2 0.2 毫克，尼克酸 2.1 毫克，维生素 E 18.9 毫克，钙 191 毫克，磷 465 毫克，钾 1503 毫克，钠 2.2 毫克，镁 199 毫克，铁 8.2 毫克，锌 3.34 毫克，硒 6.16 微克，铜 1.35 毫克，锰 2.26 毫克，碘 9.7 毫克。

现代营养学研究表明，500 克黄豆所含的蛋白质，相当于 1000 克多瘦猪肉，或 1500 克鸡蛋，或 6000 克牛奶的蛋白质含量。故黄豆又被称为"植物肉"、"绿色的乳牛"和"田中之肉"，民间有"金豆银豆不如黄豆"的谚语。

（1）降血脂作用：大豆蛋白可以显著降低血浆胆固醇、甘油三酯和低密度脂蛋白，同时不影响血浆高密度脂蛋白。大豆磷脂在血浆中起着乳化剂的作用，影响胆固醇与脂肪的运输和沉着，可促进粥样硬化斑的消散，防止胆固醇引起血管内皮的损伤。大豆中的卵磷脂还具有防止肝脏内积存过多脂肪的作用，从而有效地防治因肥胖而引起的脂肪肝。大豆所含的油酸和亚油酸，也具有降低胆固醇的作用，能使血管软化，因而可以防治高血压、动脉硬化和心脑血管病。

此外，黄豆纤维质富含皂草甙，据澳大利亚研究者指出，人体中分泌消化脂肪的胆酸，是在肝脏内由胆固醇合成，含皂草甙的食物纤维质能吸收胆酸，并使之随粪便排出体外。胆酸的消耗，必然要动用体内胆固醇继续制造以资补偿，从而促进了胆固醇的代谢，不仅有助于减少胆固醇的沉积，而且间接起到保护心脏的作用。

（2）舒缓更年期症状：女性步入更年期后，由于卵巢机能减退，体内雌激素合成与分泌不足，会导致失眠、沮丧、骨质流失、脂肪和胆固醇代谢失常，使血脂和胆固醇升高，并不时感到灼烧等症状。一般说来，

粮食的营养与保健

90%～95%的女性服用雌激素后都可改善更年期症状，但罹患子宫癌或乳腺癌等风险也会因而增加。大豆异黄酮是一种结构与雌激素相似，具有雌激素活性的植物性雌激素，能够减轻女性更年期综合征、延迟女性细胞衰老、使皮肤保持弹性、减少骨丢失、降低血脂等，而且没有现行的雌激素疗法造成的副作用。

巴西联邦圣保罗大学的妇产医学专家对80位更年期妇女进行长达6个月的追踪测试，发现85%的受测者服用"同黄素"后，更年期症状都有所改善，而且75%的妇女开始服用"同黄素"后，体内的胆固醇含量也有跟着降低的现象。令研究人员振奋的是，雌激素能治疗的所有症状，"同黄素"也都能治疗；虽然"同黄素"的疗效比雌激素稍差，但却没有雌激素的副作用。在巴西、美国等国家的药房中可买到"同黄素"，是用来替代荷尔蒙补充疗法的物质。

（3）预防癌症：大豆中含有抗癌的硒元素，故常食用大豆可增强机体的抗癌能力。国外学者通过长期的调查，发现豆浆的摄入量与乳腺癌的发病率呈负相关。无论在欧美等发达国家，还是在亚洲，随着居民每天大豆摄入量或豆制品消费的增加，乳腺癌的相对危险性呈下降趋势，其机制是大豆中的异黄酮具有阻止癌细胞增殖，促使癌细胞死亡的作用。

研究者还发现，亚洲妇女中患乳腺癌的比例只有美国妇女的1/8，其原因很可能是亚洲妇女的食谱中有丰富的大豆和豆制品之故。而日本的胃癌分布与豆制品的消耗量之间成负相关，豆制品对预防胃癌能起到一定的作用。前列腺癌的成因主要为中老年男性体内雌激素减少，才引发前列腺癌，而大豆类却含有丰富的植物雌激素。医学界认为，进食这种激素有调节脑下垂体、平衡荷尔蒙分泌的功能。

（4）预防骨质疏松：骨质持续丢失是衰老的自然过程，但妇女绝经后发生骨质疏松的百分比显著增加，主要原因是女性进入更年期后雌激素水平快速下降，从而加速骨质丢失。研究表明，大豆异黄酮有减少骨质丢失、促进骨生成的作用，有利于绝经后骨质疏松的预防和治疗。

（5）抗氧化、增强免疫：大豆中含有的植物雌激素（羟基异黄酮及木脂素）还有抗氧化的功效。经动物实验证实，高植物雌激素饮食能显著降低脂质过氧化物的形成。这种植物雌激素能保护血管内皮细胞，使其不被氧化破坏，每天食用豆制品可以有效地减轻血管系统的破坏，延缓病情发展。

（6）健脑作用：大豆中的卵磷脂能使乙酰胆碱增加，可以预防老年人痴呆。日本学者认为，如果补充大豆磷脂就能使脑细胞活性化，就能提高注意力，增强记忆力。如果在饮食中加进适量的大豆磷脂，就可以阻止脑细胞死亡。

（7）降糖作用：大豆中含有一种抑制胰酶的物质，对糖尿病有治疗作用。

（8）预防贫血：黄豆中所含的铁，不但量多，而且容易被人体吸收利用，所以常食用大豆对正在生长发育的儿童及缺铁性贫血的患者极为有利。

（9）通导大便：大豆中含有的可溶性纤维，既可通便，又能降低胆固醇的含量。

（10）美容护肤：经常食用黄豆及豆制品之类的高蛋白食物，就能营养皮肤、肌肉和毛发，使皮肤润泽细嫩，富有弹性，使肌肉丰满而结实，使毛发乌黑而光亮，使人延长青春。

【食性】甘、平。归脾、肾、大肠经。

【功效】补肾健脑，降脂泄浊，补气养血，美容利水。

【饮食调养】《本经》载："生大豆，味甘平。涂痈肿，煮汁饮……止痛。"《名医别录》载："逐水胀，除胃中热痹，伤中淋露，下淤血，散五脏结积内寒。"《本草纲目》载："治肾病，利水下气，制诸风热，活血，解诸毒。"黄宫绣《本草求真》有一段论述甚为精湛："黄大豆，按书既言味甘，服多壅气，生痰动嗽；又曰宽中下气，利大肠，消水胀肿毒，其理似属一两歧。岂知书言甘壅而滞，是即炒熟而气不泄之意也；书言宽中下气利肠，是即生冷未炒熟之意也。凡物生则疏泄，服之多有疏泄之害。故豆须分生熟，而治则有补泻之别耳。用补，则须假以炒熟，然必少食则宜，若使多服不节，则必见有生痰、壅气、动嗽之弊矣。"

大豆是更年期妇女、糖尿病和心血管病患者、脑力工作者的理想食品；黄豆还能抗菌消炎，对咽炎、结膜炎、口腔炎、菌痢、肠炎有效。

（1）用于脂肪肝：黄豆50克，花生10克，用水泡一夜，磨成浆，煮熟喝，半年后可明显好转。

（2）用于单纯消化不良：黄豆 500 克，血藤 1000 克，血藤煮取汁与黄豆汁混合，煮沸 20 分后浓缩去渣、烘干、研粉备用，小儿日服 4 次，一次 0.5 克。

（3）用于脾气虚弱：黄豆 30 克，籼米 60 克，先将黄大豆用清水浸泡过夜，淘洗干净，再与洗净的籼米一同下锅加水煮粥服。

（4）用于手足抽筋疼痛：黄豆 100 克，细米糠 60 克，加水煎至黄豆熟烂，一天分 2 次吃。

（5）用于烧烫伤：治疗期间每天用黄豆适量煮汁服，可加快治愈，愈后无疤痕。

（6）用于美容：《本草纲目》载：大豆有"容颜红白，永不憔悴""作澡豆，令人面光泽"的作用；《本草拾遗》认为豆粉"久服好颜色，变白不老"；黄豆粉在唐代就是制作面药方的常用药和配制澡豆的理想基质。澡豆就是古代清洗手面的一种清洁护肤类的化妆品，是官吏贵族及平民百姓必备的美容品。正如孙思邈在《千金翼方》中所说："面脂手膏，衣香澡豆，士人贵胜，皆是所要。"

【饮食注意】①消化功能不良、慢性消化道疾病的人应少食大豆。大豆在消化吸收过程中会产生过多的气体造成胀肚。②患有严重肝病、肾病、痛风、低碘者应禁食。③患疮痘期间不宜吃大豆及其制品。④食用黄豆时不宜同时服用丹参片。这是因为在丹参分子结构上羟基氧、酮基氧可与黄豆中所富含的钙、镁、铁离子形成络合物，故同时服用会降低丹参的药效。⑤大豆不宜生食，夹生黄豆也不宜吃，不宜干炒食用。生黄豆中含有抗胰蛋白酶因子，影响人体对黄豆内营养成分的吸收。所以食用黄豆及豆制食品，烧煮时间应长于一般食品，以高温来破坏这些因子，提高黄豆蛋白的营养价值。⑥婴儿不要多喝豆奶。美国从事转基因农产品与人体健康研究的人士发现，吃豆奶长大的孩子，成年后引发甲状腺和生殖系统疾病的风险系数增大。据美国专门机构研究，这与婴儿对大豆中的植物雌激素的反应与成人完全不同有关，所以不要让婴儿多喝豆奶。⑦大豆通常有一种豆腥味，很多人不喜欢。如在炒黄豆时，滴几滴黄酒，再放入少许盐，这样豆腥味会少得多，或者在炒黄豆之前用凉盐水洗一下，也可达到同样的效果。

【按语】黄豆蛋白质内赖氨酸较多，蛋氨酸却较少。食用黄豆制品时应注意与含蛋氨酸丰富的食品搭配使用，如米、面等粮谷类和鸡、鸭、鸽、鹌鹑等蛋类食品，可以提高黄豆蛋白质的利用率。将25%的黄豆与75%的玉米混合在一起，磨成粉，用其熬成粥或制成各类食品，生物学价值就可提高到76%左右，几乎与牛肉相媲美。面粉和大豆粉由于两者的粗细度相同，大豆粉可以与面粉以任何比例混合，并且可以制成各种主食，如面包、馒头、面条、方便面、饼干、蛋糕、油条、饺子皮和馄饨皮等。大豆粉和面粉混合制成食品在营养上有两个好处：一是大豆粉的添加使面粉食品的蛋白含量增加。将10%大豆粉与90%面粉混合，豆、面混合粉的蛋白质含量可提高到14%，较面粉的蛋白质含量增加了40%。二是蛋白质的质量提高，因面粉缺乏赖氨酸，大豆粉恰恰富含赖氨酸。由于大豆蛋白质具有许多功能特性，比如吸水性、保水性、吸油性、保油性、乳化性、胶凝性、起酥性等，在面粉中添加5%～10%的大豆粉制作食品，还能赋予食品良好的口感、光滑饱满的外表、果仁般的风味、更长的保鲜期以及更高的营养价值。因此，我国人民一向以谷豆混食，以使蛋白质互补，这是有一定科学道理的。

此外，毛豆也叫菜用大豆，是黄豆长成的鲜嫩豆荚，也是大众化的蔬菜。

【附】黄豆皮

黄豆皮为黄豆脱下的外皮，可用于通便、止泻。

（1）用于大便秘结或习惯性便秘：黄豆皮200克，水煎分3次服，每日1剂。

（2）用于腹泻：黄豆皮炒炭研末，每服3～9克，每日2次，开水送服。

二、黑　豆

【基原】为豆科植物大豆的黑色种子。黑豆原产中国，各地都有栽培，尤以山西、河北、陕西栽培较多。品种有青仁黑豆、恒春黑豆。

【异名】黑大豆、乌豆、枝仔豆、橹豆、料豆、零乌豆，民间多称黑

粮食的营养与保健

小豆和马科豆，是因它色黑形小、能作猪马的精饲料之故。

【营养保健】黑豆含蛋白质、脂肪、碳水化合物、胡萝卜素、维生素 B_1、维生素 B_2、烟酸及粗纤维、钙、磷、铁等营养物质，并含少量的大豆黄酮甙、染料木苷，这两种物质均有雌激素作用。其蛋白质富含 18 种氨基酸，特别是人体必需的 8 种氨基酸含量高。黑豆还含有 19 种油脂，不饱和脂肪酸含量达 80%，吸收率高达 95% 以上，能满足人体对脂肪的需要。

每 100 克黑大豆可食部 100%，水分 9.9 克，能量 1594 千焦，蛋白质 36 克，脂肪 15.9 克，碳水化合物 33.6 克，膳食纤维 10.2 克，灰分 4.6 克，维生素 A 5 毫克，胡萝卜素 30 毫克，维生素 B_2 0.2 毫克，维生素 B_2 0.33 毫克，尼克酸 2 毫克，维生素 E 17.36 毫克，钙 224 毫克，磷 500 毫克，钾 1377 毫克，钠 3 毫克，镁 243 毫克，铁 7 毫克，锌 4.18 毫克，硒 6.79 微克，铜 1.56 毫克，锰 2.83 毫克。

（1）降胆固醇：黑豆基本不含胆固醇，只含植物固醇，而植物固醇不被人体吸收利用，却有抑制人体吸收胆固醇、降低胆固醇在血液中含量的作用。因此，常食黑豆，能软化血管，特别是对高血压、心脏病有利。

（2）舒缓更年期症状：黑豆也是异黄酮的最佳来源，异黄酮最直接的作用是改善心悸、盗汗、失眠等更年期症状，尤其可促进钙的吸收，可改善骨质疏松症状。

（3）美容养颜：黑豆中含有丰富的维生素 E，维生素 E 也是一种抗氧化剂，能清除体内自由基，减少皮肤皱纹，保持青春健美。如古代药典上曾记载黑豆可驻颜、明目、乌发，使皮肤白嫩等。

（4）延缓衰老：黑豆中微量元素如锌、铜、镁、钼、硒、氟等的含量都很高，而这些微量元素对延缓人体衰老非常重要。

（5）降血压：临床试验证实，黑豆有降血压的作用。

（6）防治便秘：黑豆中粗纤维含量高达 4%，常食黑豆可提供食物中的粗纤维，促进消化，防止便秘发生。

【食性】甘、平。归脾、肾经。

【功效】补肾强腰，益颜乌发，补血养胎，除湿利水。

【饮食调养】《本草纲目拾遗》言其"服之能益精补髓，壮力润肌，发白后黑，久则转老为少，终其身无病"。《延年秘录》载："服食黑豆，令人长肌肤，益颜色，填精髓，加气力。"根据中医理论，黑豆乃肾之谷，黑色属水，水走肾，所以肾虚的人食用黑豆可以补肾强腰，补血乌发，除湿利水，可以有效地缓解尿频、腰酸、女性白带异常及下腹部阴冷等症状。

（1）用于肾虚腰痛：黑豆80克，小茴香5克，杜仲10克，猪腰1只。用水煮至猪腰熟透为止，空腹时食猪腰及汤，每日1次，连吃3日。

（2）用于筋骨痹痛：黑豆30克，桑枝、枸杞子、当归各15克，独活9克，水煎服。

（3）用于肾虚耳聋：取猪肉500克，黑豆100克，煮至烂熟，每早空腹吃，每日1次，连吃3~5日即效。

（4）用于乌发：青豆放入盆中加水，加五香粉和食盐，把青豆泡胀，然后捞出控干。沙锅内放入沙土炒热，把青豆放入锅内，至青豆炒熟即可。每晚食炒熟黑豆20粒，黑芝麻一匙，常食有乌发的功效。

（5）用于肾虚消渴：炒黑豆、天花粉各等份，研为末，每服9克，黑豆汤送下，一日2次。

（6）用于肾炎水肿或营养不良性水肿：用黑豆1000克，胎盘一具，洗净，置烤箱中干燥，研粉装瓶备用。每次20克，早晚各1次，效果更显著。

（7）用于促进儿童生长：黑豆1000克，置烤箱中干燥，研粉装瓶备用。每次20克，用开水调成糊状或入稀粥中食用均可，每日2次。

（8）用于病后体虚：用黑豆100克，用水浸泡，煮沸后再用小火煮40分钟，用少许盐或糖调味，早晚各1次。一般食用一周即可见效。

（9）用于白癜风或头发早白：用何首乌1000克，食盐60克，共煮一大瓦锅水，滤去药渣，再加黑豆5000克，药液量以能淹没黑豆为度，煮30分钟捞出，晾至八成干。然后如前法再煮再干，反复九次（即中药九蒸九晒炮制法）即可。每次嚼食25克，早晚各1次，坚持食用。

（10）用于头昏畏明：以黑豆30克，菊花12克，枸杞子、刺蒺藜各15克，水煎服。

（11）用于习惯性流产：可将黑豆、糯米各等量熬粥食。

（12）用于月经不调：黑豆30克，苏木15克，水煎后加红糖调服。

（13）用于妇女白带异常：黑豆100克，淮山50克，党参30克。用水煮豆至烂，加白糖一次服完，连服3~7天。

（14）用于盗汗：黑豆、浮小麦各30克，水煎服；或用黑豆、浮小麦各30克，莲子8克，黑枣7枚同煮。

（15）用于慢性湿疹、神经性皮炎：用黑豆皮、蚕豆皮、扁豆皮各125克，加水2500毫升，煎沸25分钟后离火待温，然后用敷料浸上述煎液湿敷患处，每日2次。一剂可用3~4天。用黑豆等煎液外用往往收到预想不到的效果。

（16）用于疖腮：黑豆80克，绿豆100克，冰糖50克。水煮至豆烂，待冷后食用，每日一次，连用2~3天。

（17）用于烫伤：黑豆250克，煮浓汁，取适量涂患处。

（18）用于解毒：黑豆50克，煮汁一碗饮之，可解食鱼中毒，或解草乌、附子毒。

【药膳食疗】

（1）煮料豆药方：明太医刘俗德《增补内经拾遗方论》载"煮料豆药方：老人服之能乌须黑发，固齿明目"。此方用当归12克，川芎、甘草、陈皮、白术、白芍、菊花各3克，杜仲、炙黄芪各6克，牛膝、生地、熟地各12克，青盐20克，首乌、枸杞子各25克，同黑豆煮透去药，晒干服豆。张石顽《本经逢原》载：黑豆"入肾经血分，同青盐、旱莲草、何首乌蒸熟，但食黑豆则须发不白，其补肾之功可知"。

（2）青豆酥、红枣茶：①青豆酥制作：取花生100克，红枣100克（去核），青豆100克。将花生及青豆连皮烘干后，磨成粉；红枣切碎，充分拌匀，加少许水使其成形；将其揉成小球后，再压成小圆形状（大小可自行决定）；烤箱预热10分钟，以摄氏150°烘烤15分钟，即成"青豆酥"。②红枣茶制作：取黄芪3~5片，红枣3粒，用200毫升沸水冲泡即为红枣茶。用法：每日食用青豆酥，同饮红枣茶，可使女性丰乳，效果不错（此法源于清"玉女补奶酥"）。

【饮食注意】①本品炒食易壅热伤脾，故中满者慎用，虚人及小儿不可食。②煮食虽益人，但不宜多食久食。孙思邈说："黑豆少食醒脾，多食损脾"。《本草汇言》说："黑豆性利而质坚滑，多食令人腹胀而痢下。"

《千金翼方》中说:"久食黑豆令人身重。"③《本草经集注》载:"恶五参、龙胆。得前胡、乌喙、杏仁、牡蛎良"。

【按语】 历代医家善用黑豆制成药膳、药豆与药酒。在药用方面还有用黑豆加工制成的大豆卷、豆豉等。《肘后方》的大豆煎是被隋炀帝后宫所采用的一张宫廷秘方,它是黑大豆在醋中浸泡一两夜,加热煮烂,去渣后用小火浓缩的药液,涂发后可收到"染发须,白合黑,黑如漆色"的功效。这张染发方虽不及近代的化学染发剂的效果,但说明古人早就对大豆的外用染发作用有所认识。

【其他】 大豆制作的食品

用大豆制作的食品种类繁多,可用来制作主食、糕点、小吃等。将大豆磨成粉,与米粉掺和后可制作团子及糕饼等。

大豆蛋白质和乳类蛋白质一样,具有乳化、发泡、凝固等多种性能,利用这些性能可以加工制成许多种豆制品,如豆浆、豆腐、豆腐脑、豆腐皮、豆腐干、豆腐乳、腐竹、豆豉、豆酱、酱油等。食用最多的是豆腐和豆浆等。

1. 豆腐

豆腐是大豆制作的食品,早在公元前2世纪汉代淮南王刘安首制成了豆腐,至今已有两千多年的历史。如《本草纲目》载:"豆腐之法,始于汉淮南王刘安。"《徽州县志》也记载有此事。刘安是汉高祖刘邦的孙子,曾一心寻求长生不老方,广招术士门客,用黄豆等炼丹,不料仙丹没炼成,反变成了洁白鲜嫩的乳浆,这便是世界上最早的豆腐。《随息居饮食谱》对豆腐及豆腐制品的制作有较详细的记述。其云:"豆腐,以青黄大豆,清泉细磨,生榨取浆,入锅点成后,软而治者胜。点成不压则尤软,为腐化,亦曰腐脑;榨干所造者,有千层,亦名百叶,有腐干,皆为常肴,可荤可素。……由腐再造为腐乳,陈久愈佳,最宜病人;其皂矾者,名青腐乳,亦曰臭腐乳"。明·苏平《豆腐》诗曰:"传得淮南术取佳,皮肤褪尽见精华。一轮磨上流琼液,百沸汤中滚雪花。瓦缶浸来蟾有影,金刀剖破玉无瑕。个中滋味谁知得?多在僧家与道家。"(瓦缶:即瓦器,圆腹小口,用以盛酒浆。)

豆腐的制作方法:将大豆加水浸泡后磨浆,过滤,加水煮沸,再加蛋白沉淀剂（盐卤或石膏）使蛋白质凝固沉淀，然后加压去水而成。每100克豆腐含有蛋白质7.4克，脂肪3.5克，钙279毫克，用石膏沉淀后可增加含钙量。大豆加工制成豆腐后，蛋白质消化率可明显提高，整粒豆子炒后蛋白质消化率为65.3%，而豆腐达92.7%。

豆腐性味甘、凉。入脾、胃、大肠经，具有益气和中，生津润燥，清热解毒，消胀利水之功效。主治痰喘、消渴、水膨、久痢、崩漏等。

（1）小儿麻疹出齐后，可用豆腐250克，鲫鱼2条，煮汤饮，以清热生津。

（2）小儿夏季发烧不退，口渴饮水多，可用豆腐500克，黄瓜250克，煮汤代茶饮。

（3）豆腐与醋煎食，治久痢。

（4）冻豆腐与蛋清共烹食，治贫血。

（5）产后乳汁不通，可用豆腐500克，炒王不留行20克，煮汤，喝汤吃豆腐。

（6）乳汁稀少，用豆腐、红糖各半煮沸饮食。

日本盛行豆腐与海带配吃，他们认为这是"长生不老"的妙药。制作豆腐用的大豆，含有一种叫皂角苷的物质，皂角苷能阻止容易引起动脉硬化的过氧化脂质的产生，能抑制脂肪的吸收，促进脂肪的分解。但皂角苷能促进排碘，碘缺乏易患甲状腺机能亢进病，配吃海带就解决了这个欠缺，所以科学家们说，豆腐与海带合吃是完美无缺的佳肴。

《食疗本草》中谓："凡人初到地方，水土不服，先食豆腐则逐渐调妥。"故水土不服、遍身作痒、皮疹，每天食豆腐，可协助适应水土。若过食豆腐有腹胀、恶心反应，用莱菔可解。又疮病患者忌食豆腐。

2. 豆浆

为黄豆或黑豆磨浆而成。先将大豆以水浸一天左右，带水磨碎，滤去渣，入锅煮沸即成。原汁浓者名豆奶，用水稀释者名豆浆。豆浆蛋白质的消化率为93%以上，是一种很好的早餐饮料。每100克豆浆，约含蛋白质4克，脂肪1.8克，碳水化物1.5克，还有一定量的铁、钙和B族维生素。

豆浆性味甘、平，入肺、胃经。有补虚润燥，清肺化痰之效。可治虚劳咳嗽，痰火哮喘，便秘，淋浊等。

（1）豆浆煮粥食之补虚赢。

（2）饴糖100克，豆浆一碗，煮化顿服，治痰吼喘。

（3）六一散冲豆浆食，治淋症。

（4）生豆浆一碗，韭菜汁半碗，调后空腹服，治血崩。

（5）热豆浆加松香末，捣匀外敷，治脚气肿痛。

（6）豆浆可用于解除卤水及其他腐蚀性毒物所引起的中毒。

（7）长期饮用豆浆可以预防贫血、低血压、血小板减少等疾病；对孕妇还有促进泌乳的作用。

研究表明豆浆与动物蛋白食品合用，可提高蛋白质的吸收率。豆浆是碱性食品，对肉类、米饭、面包等酸性食品有中和作用。豆浆每天的用量成人为200～400毫升，儿童为200毫升。制豆浆时，应加热煮沸，以破坏生大豆中的胰蛋白酶抑制因子。

3. 醋豆

醋是生活中的调味品，醋含有20多种氨基酸，对人体具有独特的保健作用。例如：醋中的有机酸能促进碳水化合物代谢及肌肉内乳酸和丙酮酸等疲劳物的分解，从而解除疲劳；醋能抑制和降低过氧化脂质的形成，并有预防脂肪肝和降血压等作用。大豆能降低胆固醇，防止血管硬化，故将黄豆用醋来炮制，以增强黄豆的食疗价值。长期食用醋豆对高血压病、心脏病、糖尿病和便秘有显著疗效。所以，醋豆也被人们誉为具有神奇功效的保健佳品。醋豆制法有两种：

一种制法是把生黄豆洗净晾干（不要在日光下晒）一并炒熟。把炒熟的黄豆倒进清洁干燥的空瓶里，然后加入优质9度米醋或陈醋。醋与豆之比例为2:1，就是用2斤醋浸泡1斤黄豆。盖上瓶盖后，瓶子应放在阴凉处，7天后即可食用。

另一种制法是把黄豆洗净沥干，放入洗烫消毒过的玻璃瓶或者搪瓷罐内，然后倒入优质米醋或陈醋。醋与黄豆的比例也是2:1。浸泡半年到1年后可食用，生吃即可，无豆腥气，好吃且易嚼。

食用方法：每天清晨空腹和晚上睡觉前各服一次，每次10粒，咬嚼吞服，一般病情连续服用1～2个月即可见效。醋豆食疗无副作用。

注意事项：有人食醋豆后呕吐，可用筷子把醋豆夹在开水中晃动几下，冲淡再服，但不能煮热，否则影响疗效。

醋豆也可使用黑豆，制法基本与黄豆相同。服用时按病的轻重，轻者每次服 20~25 粒；重者每次 25~30 粒，吃豆不喝醋。每天 1 次，早晨起床前空腹服。有胃病的饭后服。为了不刺激口腔和长期吃豆黑牙齿问题，服黑豆前、后可喝口温开水。一个疗程 3 个月，长期服也可。如果病重可服药加吃豆，待病愈后逐渐撤药。"醋豆"属补品，无副作用。

【附】黑豆皮

黑豆衣含果胶、乙酰丙酸和多种糖类。中医认为黑豆衣是凉性滋养强壮药，能养血疏风，有解毒利尿、明目益精之功效。可治疗阴虚烦热、盗汗、眩晕、头痛、风痹等症。黑豆皮还含有花青素，花青素是很好的抗氧化剂来源，能清除体内自由基，尤其是在胃的酸性环境下，抗氧化效果好。能养颜美容，增加肠胃蠕动。

三、绿　豆

【基原】为豆科草本植物绿豆的成熟种子。原产于中国、印度，后来主要种植于东亚、南亚与东南亚一带。中国栽培与食用绿豆已有 2000 多年的历史。现在主产于黄河、淮河流域的河南、河北、山东、安徽等省，一般秋季成熟上市，是一种药食兼用食物。

绿豆种皮的颜色主要有青绿、黄绿、墨绿三大类，种皮分有光泽（明绿）和无光泽（暗绿）两种。以色浓绿而富有光泽、粒大整齐、形圆、煮之易酥者品质最好。

【异名】绿豆又名青小豆，因其颜色青绿而得名；由于它营养丰富，用途较多，李时珍称绿豆为"济世良谷"、"菜中佳品"。

【营养保健】绿豆的营养丰富，含有蛋白质、脂肪、碳水化合物、维生素 B_1、维生素 B_2、胡萝卜素、菸硷酸、叶酸、钙、磷、铁等。所含蛋白质主要为球蛋白，其组成中富含赖氨酸、亮氨酸、苏氨酸，含蛋氨酸、色氨酸、酪氨酸比较少。如与小米共煮粥，则可提高营养价值。

每 100 克含可食部 100%，水分 12.3 克，能量 1322 千焦，蛋白质 21.6 克，脂肪 0.8 克，碳水化合物 62 克，膳食纤维 6.4 克，灰分 3.3 克，维生素 A 22 毫克，胡萝卜素 130 毫克，维生素 B_2 0.25 微克，维生素 B_2 0.11 毫克，尼克酸 2 毫克，维生素 E 10.95 毫克，钙 81 毫克，磷 337 毫克，钾 787 毫克，钠 3.2 毫克，镁 125 毫克，铁 6.5 毫克，锌 2.18 毫克，硒 4.28 微克，铜 1.08 毫克，锰 1.11 毫克。

（1）解毒作用：绿豆蛋白、鞣质和黄酮类化合物可与有机磷农药、汞、砷、铅等化合物结合形成沉淀物，使之减少或失去毒性，并不易被胃肠道吸收。绿豆中的生物活性物质不少具有抗氧化作用，在治疗有机磷农药中毒时是否通过抗氧化作用从而减轻了有机磷农药的细胞毒性和遗传毒性有待于进一步的探讨。

（2）保肝护肾：绿豆含丰富胰蛋白酶抑制剂，可以保护肝脏，减少蛋白分解，减少氮质血症，因而保护肾脏。由于绿豆能帮助体内毒物排泄，促进机体的正常代谢，所以，绿豆是中医用以解毒的重要辅助药物。

（3）抗过敏：绿豆的有效成分具有抗过敏作用，可辅助治疗荨麻疹等过敏反应。

（4）增强食欲：绿豆中所含蛋白质、磷脂均有兴奋神经，增进食欲的功能。

（5）降血脂作用：绿豆粉有显著降脂作用，绿豆中含有一种球蛋白和多糖，能促进动物体内胆固醇在肝脏分解成胆酸，加速胆汁中胆盐分泌和降低小肠对胆固醇的吸收。高脂血症患者每日进食 50 克绿豆，血清胆固醇下降率可达 70%。

（6）抗菌作用：根据有关研究，绿豆所含的单宁能凝固微生物原生质，可产生抗菌活性。绿豆中的黄酮类化合物、植物甾醇等生物活性物质可能也有一定程度的抑菌抗病毒作用。

（7）增强机体免疫：绿豆所含有的众多生物活性物质如香豆素、生物碱、植物甾醇、皂甙等可以增强机体免疫功能，增加吞噬细胞的数量或吞噬功能。通过动物实验证明，绿豆有抑制环磷酰胺诱发的小鼠红细胞功能低下的作用。

（8）解暑作用：高温出汗可使机体因丢失大量的矿物质和维生素而导致内环境紊乱，绿豆含有丰富无机盐、维生素。在高温环境中以绿豆汤为饮料，可以及时补充丢失的营养物质，以达到清热解暑的治疗效果。

（9）促进生长发育：绿豆的蛋白质含量比鸡肉还多，钙质是鸡肉的7倍，铁质是鸡肉的4.5倍，磷也比鸡肉多。这些对促进和维持机体的生命发育及各种生理机能都有一定的作用。

（10）抗肿瘤作用：实验发现绿豆对吗啡加亚硝酸钠诱发小鼠肺癌与肝癌有一定的预防作用。

【食性】甘、凉。归心、胃经。

【功效】解暑止渴，清热解毒，利尿通淋，明目退翳，祛痘止痒。

【饮食调养】《开宝本草》记载："绿豆甘寒无毒。入心、胃经。主丹毒烦热，风疹，热气奔豚，生研绞汁服，亦煮食，消肿下气，压热解毒。"《本草纲目》云："绿豆，消肿治痘之功虽同于赤豆，而压热解毒之力过之。且益气、厚肠胃、通经脉，无久服枯人之忌。外科治痈疽，有内托护心散，极言其效。"并可"解金石、砒霜、草木一切诸毒"。《本草求真》曰："绿豆味甘性寒，据书备极称善，有言能厚肠胃、润皮肤、和五脏及资脾胃，按此虽用参、芪、归、术，不是过也。第所言能厚、能润、能和、能资者，缘因毒邪内炽，凡脏腑经络皮肤脾胃，无一不受毒扰，服此性善解毒，故凡一切无不用此奏效。"

（1）用于暑热烦渴：盛夏酷暑，人们喝些绿豆汤，甘凉可口，防暑消热。小孩因天热起痱子，用绿豆和鲜荷叶服用，效果更好。若用绿豆、赤小豆、黑豆煎汤，既可治疗暑天小儿消化不良，又可治疗小儿皮肤病及麻疹。

（2）用于解诸毒：如解砒霜、附子、斑蝥等药物中毒，对重金属、农药中毒以及其他各种食物中毒也均有防治作用。经常在有毒环境下工作或经常接触铅、砷、镉、化肥、农药等有害物质者，在日常饮食中尤其应多吃些绿豆汤、绿豆粥，能加速有毒物质在体内的排泄。

（3）用于糖尿病：绿豆适量，鸭蛋1个，将绿豆煮到成粥时打入鸭蛋，每天一次，有良效。

（4）用于乳痈初起：以绿豆淀粉与血余炭各30克，用水调成糊状，敷于患处。

（5）用于黄水疮：绿豆12克，枯矾6克，松香12克，细末混匀，用香油调匀涂患处，每日数次。另用绿豆适量水煎服。

（6）用于药物性皮炎：取绿豆 60 克，生薏米 30 克，入沙锅，加水适量煮烂，加入白糖调味，吃豆饮汤，每日 2 次，连服 3~5 天；或用绿豆粉 6 克，外搽患处，每日数次。

（7）用于急性肠炎：用绿豆 30 克，山楂 30 克，煎汤分 3 次服用。

（8）用于下肢慢性溃疡：取绿豆 60 克，大黄 30 克，甘草 15 克，共研成细末，用蜂蜜适量调匀，外敷患处，并用消毒纱布包扎，隔日换药 1 次。

（9）用于慢性咽喉炎：绿豆 50 克，百合 15 克，冰糖适量，加水同煮食之，每日 1 次。

（10）用于淋症：绿豆、鲜茅根各 60 克，煎水服用，对尿频、尿急、尿痛等症有一定的辅助作用。

（11）用于急性眼部炎症并发翳膜：绿豆衣 30 克，菊花 30 克，谷精草 30 克，共研细末，每服 6~9 克，每日 3 次，用绿豆适量煎水送服。并用菊花、绿豆、草决明各适量，煎水洗眼部。

（12）用于痤疮、结节性痒疹：绿豆研成细末，煮成糊状，在就寝前洗净面部，涂抹在患处；结节性痒疹可局部消毒后再涂。

（13）用于皮肤瘙痒：取绿豆粉适量炒黄，用香油调匀，外敷患处，每日 2~3 次；或将绿豆 50 克洗净，加水适量煮 20 分钟，再放入洗净的猪大肠内，两端扎紧，与败酱草 15 克一起炖熟，加盐调味，饮汤，吃大肠、绿豆，隔日 1 次，7 天为 1 个疗程。

（14）用于湿疹、痱子：绿豆 60 克，滑石 30 克，共研为细末，外撒患处，1 日数次。或用绿豆 30 克，冰片 1 克，共研为极细末，外敷患处，每日 2 次。

（15）用于血小板减少性紫癜、过敏性紫癜：取绿豆、红枣各 50 克，洗净入锅，加水适量煮至绿豆开花，加红糖适量调味服食。每日 1 次，15 天为 1 疗程。

（16）用于动脉粥样硬化：绿豆 50 克，山楂、荷叶各 25 克（用纱布包好），煮至豆烂，取出布包的山楂、荷叶，饮汤食豆。

（17）常食绿豆，对高血压、动脉硬化、糖尿病、肾炎有较好的辅助治疗作用。

【饮食注意】①虽然绿豆汤为消暑佳品，但因属寒性食物，体质虚弱的人，肾虚腰疼者，不要多喝绿豆汤，特别是脾胃虚寒者。②绿豆煮汤时，时间不宜过长（用高压锅只要 15 分钟即烂），豆粒不宜过烂，否则会使大量有机酸、维生素遭到破坏，降低清热解毒功效。③由于绿豆具有解毒的功效，所以正在吃中药的人不要多食。特别是服温补药时不要吃绿豆食品，以免降低药效。④慢性胃肠炎、慢性肝炎、甲状腺机能低下者，忌多食绿豆。⑤绿豆忌用铁锅煮。

【按语】绿豆被誉为粮食中的绿色珍珠，既是调节饮食的佳品，又是食品工业和酿酒工业的重要原料之一，也是重要的药材。绿豆消费主要集中在食用、深加工和出口三个方面。在食用方面，自古以来，我国城乡人民把绿豆作为防暑降温的优良饮料。绿豆汤不仅清凉解渴，还有清热解毒的功效。在深加工方面，绿豆不仅可做粥饭，还可制成花色多、风味好的绿豆糕、绿豆馅、绿豆粉以及绿豆淀粉、绿豆粉丝、粉皮等制品。四川泸州的"绿豆大曲"、安徽的"明绿液"等酒品香醇，独具风味，深受消费者欢迎。

煮绿豆时可先将绿豆泡入沸水中焖煮 20 分钟，然后撇去上面的浮壳，再煮 15 分钟，绿豆就开花酥烂，加冰糖即成碧绿可口的绿豆汤了。

【附】绿豆衣

绿豆脱下的豆皮名为绿豆衣，有清热解毒、明目退翳之功。绿豆皮中含有 21 种无机元素，磷含量最高。另有牡荆素，β-谷甾醇。绿豆皮对葡萄球菌有较好的抑制作用。临床上用绿豆衣煎汤，治疗痈肿、疖疮、烫伤等外伤感染。治烧烫伤取绿豆皮 30 克，冰片 1 克，先将绿豆皮炒黄，加冰片共研细末，外撒患处，1 日 2 次；并用绿豆 120 克，生甘草 6 克，加水适量煎汤，代茶饮。以绿豆皮煎水，加白糖冲服，还可治麻疹和并肠炎。

此外，用干绿豆皮做枕芯，佐以干菊花为"絮"，有降压、明目之效。《日华子本草》载："作枕明目，治头风头痛。"

四、红小豆

【基原】为豆科一年生草本植物赤小豆的种子。红小豆原产于中国，在我国至少已有两千多年的种植历史，以后逐步发展到其他国家和地区。至今，在我国喜马拉雅山麓尚有小豆野生种和半野生种存在。中国也是世界上红小豆种植面积最广、产量最大的国家，主产区在华北、东北、黄河流域和长江中下游地区及台湾省。

【异名】赤小豆、赤豆、红豆、朱豆，因其外为赤褐色或红色外衣包裹，故而得名。红小豆富含淀粉，因此又被人们称为"饭豆"。红小豆经济价值居五谷杂粮之首，故有"金豆"之美称。

【营养保健】红小豆营养丰富，子粒含蛋白质、脂肪、碳水化合物和多种维生素及丰富的钙、磷、铁等元素。此外，还含有维生素 B_2、维生素 B_2、烟酸、皂草甙等成分。红小豆蛋白质中赖氨酸含量较高，宜与谷类食品混合成豆饭或豆粥食用，一般做成豆沙或作糕点原料。

每 100 克红豆中含可食部 100%，水分 12.6 克，能量 1293 千焦，蛋白质 20.2 克，脂肪 0.6 克，碳水化合物 63.4 克，膳食纤维 7.7 克，灰分 3.2 克，维生素 A 13 毫克，胡萝卜素 80 毫克，维生素 B_2 0.16 微克，维生素 B_2 0.11 毫克，尼克酸 2 毫克，维生素 E 14.36 毫克，钙 74 毫克，磷 305 毫克，钾 860 毫克，钠 2.2 毫克，镁 138 毫克，铁 7.4 毫克，锌 2.2 毫克，硒 3.8 微克，铜 0.64 毫克，锰 1.33 毫克，碘 7.8 毫克。

(1) 利尿降压：红小豆含有丰富的钾和皂草甙，具有利尿降压的作用，对于肾脏病和心脏病均有一定疗效。

(2) 催乳作用：红小豆是富含叶酸的食物，产后多吃红小豆有催乳的功效。

(3) 通便防癌：红小豆含有较多的膳食纤维，具有良好的润肠通便作用，能预防大肠癌。

此外，红小豆含有丰富的蛋白质、赖氨酸，对幼儿大脑发育有重要的作用。

【食性】甘、酸、平。归心、小肠经。

【功效】利尿消肿，解毒消痈，通经下乳，祛风止痒，解酒毒。

【饮食调养】《神农本草经》载："下水肿，排痈肿脓血。"《药性本草》说"治热毒、散恶血"。《本草纲目》载："味甘，性平，无毒，下水肿，排痈肿脓血，疗寒热，止泄痢，利小便，治热毒，散恶血，除烦满，健脾胃"，"治产难，下胞衣，通乳汁。和鲤鱼、蠡（lí）鱼、鲫鱼、黄雌鸡煮食，并能利水消肿"。汉代张仲景《伤寒杂病论》、《金匮要略》运用红小豆与其他药物配伍创制了"麻黄连翘赤小豆汤"、"红小豆当归散"等方剂。

医家通过临床实践，认为红小豆对痈肿有特殊疗效。例如《朱氏集验方》称："此药治一切痈疽疮疖及赤肿，不拘善恶，但水调涂之，无不愈者"。《本草纲目》也载有用红小豆治病的案例，如宋仁宗在东宫时，患了痄腮，命道士赞宁治疗，道士赞宁取赤小豆70粒，捣烂为末，敷患处而愈。又如中贵人任承亮患恶疮，尚书傅永给他用药敷治而愈。任问傅用的什么药？答曰：赤小豆。

（1）用于急性肾炎水肿：红小豆60克，加水煮烂，加红糖适量，每日分2次服。

（2）用于慢性肾炎水肿：红小豆250克，加水煮烂，加白糖调味，当茶饮；或红小豆120克，冬瓜1个，水煮分3次服。

（3）用于营养不良性水肿：红小豆100克，鲤鱼1条，去杂洗净，加水煮浓汤食之。

（4）用于妊娠水肿：红小豆30克，麦片30克，加水适量，同煮成粥，再加入麦芽糖1匙，食用。或红小豆120克，鲤鱼1条，陈皮6克，加水适量，用文火煮烂服。

（5）用于肝硬化腹水：红小豆500克，鲤鱼1条，加清水2000～3000毫升，用文火清炖至烂，将豆、鱼、汤一并食用。

（6）用于热淋、血淋：红小豆适量，研末，煨葱1根，捣烂，每日热酒调服10克。

（7）用于疮疡、痄腮：用红小豆研成细末，用蛋清调涂患处。

（8）用于肝脓肿：红小豆15克，连翘9克，当归12克，清洗干净，放入沙锅内，煎成浓汤，饭后食之。

（9）用于食肉中毒：红小豆适量，烧熟研末，每次服2克。

（10）用于细菌性痢疾：红小豆、糯米各60克，水煮成粥（赤痢者加白糖60克，白痢者加红糖60克），分1～2次服完。

（11）用于闭经、痛经：红小豆25克，粳米30克，水煮成粥，加麦芽糖1匙调食。

（12）用于妊娠胎漏：红小豆生出芽适量，烘干研成末，制成小豆散，温酒服 1 克，每天服 3 次。

（13）用于产后恶露不下：红小豆适量，微炒，水煎代茶，随意饮用。

（14）用于乳汁不通：红小豆适量，加水煮汤，代茶饮之；或红小豆 250 克，加粳米适量，煮粥食之。

（15）用于痔疮下血：红小豆 500 克，加酒 1000 毫升，文火煮熟，复纳酒中，待酒尽止，研末，酒送服 1 克，每天服用 3 次。

（16）用于预防麻疹：红小豆、绿豆、黑豆、甘草各适量。将三豆用清水洗净，入锅加水，文火煮熟，晒干，与甘草同研成粉，开水冲服。1 岁每次服用 3 克，2 岁每次服用 6 克，3 岁每次服用 9 克，每日服用 3 次，连续服用 1 周。

（17）用于风疹：红小豆、荆芥穗等分，研为末，再用鸡蛋清调涂患处。

（18）用于醒酒解毒：红小豆 50 克，白茅根 100 克，加水适量，共煎煮半熟加入洗净的粳米 200 克，煮成粥，酒后食之。

（19）用于血丝虫病：红小豆 30 克，研成粉，黄泥土适量，加水搅拌，滤去上部清水，取细泥糊和红小豆粉外敷，每日换 1 次。一般 2～3 日炎症可消。

【饮食注意】①红小豆不宜多食久食。历代本草记载，红小豆多食令人脚软，分析原因可能是利尿过度所致。陶弘景云："性逐津液，久食令人枯燥"。《食性本草》亦云"久食瘦人"。②因红小豆利尿，故尿频的人应注意少吃。

【按语】红小豆淀粉颗粒较大，出沙率高于其他食用豆类，具有广泛的食用价值，可煮吃，也可制成豆馅用于各种糕点、食品。一般人都可以食用，水肿、哺乳期妇女尤为适合。红小豆有较多的膳食纤维，具有良好的润肠通便、预防结石、健美减肥的作用。

【附】红小豆花

红小豆花有醒酒等作用。①醒酒可用红小豆花适量，水煎服。②用于疟疾、寒热邪气。红小豆花适量，清洗干净，放入沙锅内，加水适量，煎成浓汤服用。

粮食的营养与保健

五、豌 豆

【基原】为豆科豌豆属一年生草本植物豌豆的种子。豌豆起源于埃塞俄比亚、地中海沿岸和中亚地区，古代希腊、罗马和埃及早在3000年前已食用豌豆。豌豆由原产地向东首先传入印度北部，经中亚传到中国。

据说是汉代张骞出使西域得豌豆种，中国最迟在汉代就引入小粒豌豆了，已有两千多年的栽培历史。现我国南北各地都有栽培，以广东、广西、四川、云南等省种植广泛，是一种常见的菜食两用食物。

栽培豌豆分为谷实豌豆与菜用豌豆两大类。谷实豌豆又称紫花豌豆、大田豌豆或硬荚豌豆。其植株高大，抗逆性强，产量较高，花紫也有红或灰蓝色的，托叶、叶腋间、豆秆及叶柄上均带紫红色，种子暗灰色或有斑纹，所以又称"麻豌豆"，常作为大田作物栽培，作为粮食与制淀粉用。菜用豌豆的植株柔嫩，抗逆性弱，多在南方种植。花常为白色，托叶、叶腋间无紫红色，种子为白色、黄色、绿色、粉红色或其他较淡的颜色。果荚有软荚及硬荚两种，软荚种的果实幼嫩时可食用，硬荚种的果皮坚韧，以幼嫩种子供食用，而嫩荚不供食用。作为蔬菜用的品种有"小青荚"、"上海白花豆"等品种。

豌豆按茎的生长习性分为蔓生、半蔓生和矮生三种类型。豌豆种子的形状因品种不同而有所不同，大多为圆球形，还有椭圆、扁圆、凹圆、皱缩等形状。颜色有黄白、绿、红、玫瑰、褐、黑等颜色。

【异名】毕豆、冬豆、蜜糖豆、蜜豆、青豆、雪豆、寒豆、回回豆、荷兰豆、麦豆等。上海附近地区称"小寒豆"。《本草纲目》云："其苗柔弱宛宛，故得豌名。"

【营养保健】豌豆营养丰富，含蛋白质、脂肪、碳水化合物、膳食纤维、维生素A、胡萝卜素、维生素B_2、维生素B_2、钙、磷、钾、钠、镁、铁、锌等多种矿物质。

每100克子粒中含可食部100%，水分10.4克，能量1310千焦，蛋白质20.3克，脂肪1.1克，碳水化合物65.8克，膳食纤维10.4克，灰分2.4克，维生素A 42毫克，胡萝卜素250毫克，维生素B_2 0.49微克，维生素B_2 0.14毫克，尼克酸2.4毫克，维生素E 8.47毫克，钙97毫克，磷

259 毫克，钾 823 毫克，钠 9.7 毫克，镁 118 毫克，铁 4.9 毫克，锌 2.35 毫克，硒 1.69 微克，铜 0.47 毫克，锰 1.15 毫克，碘 0.9 毫克。

（1）增强机体免疫功能：豌豆中富含人体所需的各种营养物质，尤其是含有优质蛋白质，可以提高机体的抗病能力。

（2）防癌抗癌：豌豆中富含胡萝卜素，食用后可防止人体致癌物质的合成，从而减少癌细胞的形成，降低人体癌症的发病率。

（3）通利大肠：豌豆中富含粗纤维，能促进大肠蠕动，保持大便通畅，起到清洁大肠的作用。

（4）营养作用：豌豆中的蛋白质不仅含量丰富，而且质量好，包含人体所必需的各种氨基酸，经常食用对儿童的生长发育会大有益处。

（5）补充铁和钾：豌豆是铁和钾的上等来源，对缺铁性贫血和因低钾而免疫力低下的患者来说，可以适量多吃一些豌豆。

此外，豌豆能抗菌消炎、能增强新陈代谢。

【食性】甘、平。归胃、肾经。

【功效】益气，通乳，利小便、消痈肿。

【饮食调养】《日用本草》载"煮食下乳汁"。常用于糖尿病、乳汁不通、口渴、泄痢等病症。

（1）用于消渴：豌豆适量，淡煮常吃。

（2）用于气血虚弱：豌豆、羊肉各适量，炖吃。

（3）用于下乳：哺乳期女性多吃点豌豆可增加奶量。

【药膳食疗】

（1）玉米豌豆羹：材料有豌豆、玉米粒、菠萝、枸杞、冰糖。将玉米粒洗净，上锅蒸 1 小时取出；菠萝切成玉米粒大小的颗粒；枸杞用水泡发。烧热锅加水 1500 毫升，冰糖煮溶后放入玉米、枸杞、菠萝、豌豆煮熟，用湿淀粉勾芡即可。

（2）煮五香豌豆：将豌豆洗净，放入锅内，再放入花椒、大料、精盐、辣椒、姜、味精等，煮熟装盘即成。

（3）麻辣脆豌豆：材料有嫩豌豆、松仁、甜红辣椒。嫩豌豆洗净，沥干，投入六成热的油锅内炸熟，捞出待用。松仁入油锅炸至酥。甜红辣椒去籽、蒂，切成米粒状。锅置火上，放植物油 50 克，烧至五成热，倒入豌豆、松仁、甜红椒米煸炒几下，下盐、味精、淋红油、花椒油簸匀，起锅入盘即成。

【饮食注意】①豌豆粒多食会发生腹胀，炒熟的干豌豆尤其不易消化，过食可引起消化不良、腹胀等。②豌豆不宜加碱煮食。否则会破坏其所含的维生素等营养成分。③豌豆适合与富含氨基酸的食物一起烹调，可以明显提高豌豆的营养价值。

【按语】豌豆磨成豌豆粉是制作糕点、豆馅、粉丝、凉粉、面条、风味小吃的原料。在超市中还可常见豌豆的休闲食品，像北京老字号的著名宫廷小吃豌豆黄、咸味干豌豆等，豌豆黄美味可口，易于消化。

【附】鲜豌豆、豌豆苗

1. 鲜豌豆

每 100 克嫩荚中含水分 70.1~78.3 克，碳水化合物 14.4~29.8 克，蛋白质 0.04~0.10 克，脂肪 0.1~0.6 克，胡萝卜素 0.15~0.33 毫克，还含有多种氨基酸。并含植物凝集素、赤霉素 A20 等药用成分。

在豌豆荚和豆苗的嫩叶中富含维生素 C 和能分解体内亚硝胺的酶，可以分解亚硝胺，具有抗癌防癌的作用。豌豆与一般蔬菜有所不同，所含的止权酸、赤霉素和植物凝素等物质，具有抗菌消炎，增强新陈代谢的功能。在豌豆和豆苗中含有较为丰富的膳食纤维，可以防治便秘，有清肠作用。

鲜豌豆又是一种很有营养的蔬菜，豌豆的嫩苗、嫩豆都可食用，烩豌豆、做汤均好。因豌豆豆粒圆润鲜绿，十分好看，也常被用来作为配菜，以增加菜肴的色彩，促进食欲。荷兰豆就是豆荚用豌豆，炒食后颜色翠绿，清脆利口。鲜豆还可加工制成罐头。

鲜豌豆和干豌豆在营养价值上各有优势，鲜豌豆所含的维生素 A 和维生素 C 要比干豌豆多，而相等量的熟干豌豆所提供的固体物、热量、碳水化合物和蛋白质又比熟的鲜豌豆多 1 倍。

2. 豌豆苗

豌豆苗是豌豆萌发出 2~4 个子叶的幼苗，鲜嫩清香，最适宜做汤。它们的营养价值与豌豆大致相同。用于糖尿病，可用青豌豆煮熟食；或嫩豆苗捣烂榨汁，每服半杯，每日 2 次，对糖尿病有辅助治疗作用。

六、蚕 豆

【基原】为豆科巢菜属一年生或越年生草本植物蚕豆的种子。原产里海南部至非洲北部。据《太平御览》记载，蚕豆是张骞出使西域时带回了豆种，才在我国开始种植的，故又名胡豆。

蚕豆根据用途分为食用、菜用、饲用及绿肥用4种。按其子粒的大小可分为大粒蚕豆、中粒蚕豆、小粒蚕豆三种类型，大粒蚕豆宽而扁平，千粒重在800克以上，如四川、青海产的大白蚕豆，品质较好，常作粮食或蔬菜食用；中粒蚕豆呈扁椭圆形，千粒重为600~800克；小粒蚕豆近圆形或椭圆形，千粒重为400~650克，其产量高，但品质较差，多作为畜禽饲料或绿肥作物。根据播种期可分为冬蚕豆和春蚕豆。以种皮的颜色分为青皮豆、白皮豆和红皮豆等。中国主要栽培的是冬蚕豆，以四川最多，次为云南、湖南、湖北、江苏、浙江、青海等省。

【异名】胡豆、南豆、夏豆、佛豆、仙豆、罗汉豆、倭豆、马齿豆、竖豆、寒豆、湾豆。因其豆荚状如老蚕，又成熟于养蚕时节，故取名为蚕豆。

【营养保健】蚕豆营养丰富，含蛋白质、脂肪、碳水化合物、维生素C、维生素E、维生素B_2、维生素B_2、烟酸。含有磷脂、胆碱、葫芦巴碱、呱啶酸-2等，还含有大量的钙、磷、铁、钾、镁，并且氨基酸种类较为齐全，特别是赖氨酸含量丰富。

每100克含可食部100%，水分13.2克，能量1402千焦，蛋白质8.8克，脂肪0.4克，泛酸0.48毫克，碳水化合物19.5克，叶酸260微克，膳食纤维3.1克，维生素A 52微克，维生素K 13微克，胡萝卜素310微克，维生素B_2 0.37毫克，维生素B_2 0.1毫克，尼克酸1.5毫克，维生素C 16毫克，维生素E 0.83毫克，钙16毫克，磷200毫克，钾391毫克，钠4毫克，镁46毫克，铁3.5毫克，锌1.37毫克，硒2.02微克，铜0.39毫克，锰0.55毫克。

（1）健脑作用：蚕豆中含有调节大脑和神经组织的重要成分钙、锌、锰、磷脂等，并含有丰富的胆碱，有健脑作用，能增强记忆力。脑力工作者适当进食蚕豆，可能会有一定功效。

粮食的营养与保健

（2）降低胆固醇：蚕豆中的维生素 C 可以延缓动脉硬化，蚕豆皮中的膳食纤维有降低胆固醇、促进肠蠕动的作用。

（3）预防心血管病：蚕豆中蛋白质丰富，不含胆固醇，可以提高食品营养价值，预防心血管疾病。

（4）促进骨骼发育：蚕豆中含有丰富的钙，有利于骨对钙的吸收与钙化，能促进人体骨骼的生长发育。

（5）补充营养：蚕豆所含磷脂是细胞膜、线粒体膜、微粒体膜结构的物质基础，膜的通透性，突触的功能，受体等也都依赖于磷脂，对人体的营养有重要意义。

（6）预防肠癌：现代人还认为蚕豆也是抗癌食品之一，对预防肠癌有作用。

【食性】甘、平。归脾、胃经。

【功效】补中益气，健脾祛湿，涩精止带，凉血。

【饮食调养】用于中气不足，倦怠少食，高血压，咯血，衄血，妇女带下等病症。

（1）用于年老体弱，脾胃不和：蚕豆 250 克，糯米 500 克。将蚕豆泡胀去皮，放入沸水中煮至八成熟时捞出；另将粳米淘净后，用煮过蚕豆的水汤浸泡一夜，次日把糯米和蚕豆搅拌均匀，上蒸笼蒸大约 1 小时，即可食用。

（2）用于慢性肾炎水肿：陈蚕豆 125 克，红糖 90 克。先将陈蚕豆洗净，与红糖同放入沙锅，加水 500 毫升，煮至豆熟即可，每日服食 3 次，吃豆喝汤。

（3）用于水肿：蚕豆 60 克，冬瓜皮 15 克，水煎服。

（4）用于肺结核咯血：蚕豆洗净，捣烂取汁，每次服 20 克，一天 2 次。

（5）用于秃疮：鲜蚕豆捣如泥，涂疮上，干即换之。如无鲜者，用干豆以水泡胖，捣敷亦效。

【饮食注意】①蚕豆病者不宜食用。有些人红细胞内先天性缺乏一种 6-磷酸葡萄糖脱氢酶，他们一旦吃了蚕豆及其制品，或者同蚕豆花粉接触后，会产生一种急性溶血性贫血，出现"蚕豆病"。其症状是发热、头痛、恶心、四肢酸痛、黄疸、血尿、抽筋和昏迷等症，约有 1/10 的病例会在急性期死亡，一般的会在几天内可恢复正常。这种病一般有家族遗传性，因此，父母或祖父母有过这种病的人，不宜进食蚕豆及其制品，不宜沾染蚕豆花粉；一旦发生这种病时，应赶快就医，以防意外。②发育期儿童不宜食用。蚕豆中含 0.5% 的巢菜碱甙，摄入巢菜碱甙过量可抑制动物的自然生长，故发育期儿童不宜食用。③服用优降宁、痢特灵时不宜食用。本品含酪胺较多，服用优降宁、痢特灵时，若食用含酪胺高的食物，会引起血压升高、甚至引起高血压危象和脑出血。④老蚕豆性滞，过食易使人腹胀。中焦虚寒者不宜食用。⑤蚕豆不可生吃，应将生蚕豆多次浸泡，焯水后再进行烹制。⑥蚕豆不宜与田螺同食。⑦痔疮出血、消化不良、慢性结肠炎和尿毒症患者最好也远离蚕豆。

【按语】蚕豆的食用方法很多，既可煮、炒、油炸；也可浸泡后剥去种皮作炒菜或汤；又可制成各种小食品，还可蒸熟加工成罐头；或制酱油、豆瓣酱、甜酱、辣酱等，是一种大众食物。蚕豆粉是制作粉丝、粉皮的原料，也可加工成豆沙，制作糕点。

【其他】蚕豆去壳

将干蚕豆放入陶瓷或搪瓷器皿内，加入适量的碱，倒上开水闷一分钟，即可将蚕豆皮剥去，但去皮的蚕豆要用水冲除其碱味。

【附】菜用蚕豆

菜用蚕豆是指采收青豆荚剥粒作为蔬菜食用的大粒型蚕豆品种。菜用蚕豆的主要优良品种有"日本大白蚕"和浙江省农科院育成的"利丰蚕豆"以及地方品种"慈溪大佛豆"，以上品种产量高，食味好，商品价值高。5 月上旬开始可分批采摘鲜荚上市，采收标准为豆荚饱满，子粒绿色，种脐未转黑前。

嫩蚕豆煮稀饭能和胃、润肠通便，对习惯性便秘有良效。治酒醉不醒，可用蚕豆苗适量，加油、盐煮汤，灌服。制成蚕豆芽，其味更鲜美。

七、饭豇豆

【基原】为豆科植物豇豆的种子。豇豆起源于非洲，多样性中心在尼日利亚。豇豆传到印度后，形成了短荚豇豆种；在东南亚和中国形成了长豇豆亚种。豇豆在我国栽培历史悠久，在新石器时代已有栽培。

豇豆广泛分布在热带，亚热带地区。以非洲最多，占90%以上，其次是北美和中美，亚洲第三、欧洲第四、大洋洲最少。目前，世界豇豆主产国按产量依次为尼日利亚、尼日尔、上沃尔特、乌干达、埃塞俄比亚、突尼斯、中国、印度、印度尼西亚、菲律宾、马来西亚、日本、澳大利亚、欧洲各国、地中海地区和南美、中美的低地及沿海地区，其中以尼日利亚生产最多。在尼日利亚豇豆产量仅次于花生，约占全世界总产量的3/4。我国主要产地有河南、山西、陕西、山东、广西、河北、湖北、安徽、江西、贵州、云南、四川及台湾等。

豇豆分为长豇豆和饭豇豆两种。长豇豆即平时说的长豆角，为夏季的重要蔬菜，也是供应八九月淡季的主要蔬菜之一；饭豇豆子粒一般用作主食，如与大米一起做饭或粥，也是制豆沙和作糕点的好原料。栽培的豇豆多为蔓生型，也有直立和半直立型。

【异名】饭豆、江豆、浆豆、豆角、角豆、羊角、腰豆、裙带豆、带豆、长豇豆，长豆、蔓豆、泼豇豆、黑脐豆等。

【营养保健】豇豆的营养价值很高，子粒含蛋白质、脂肪、碳水化合物、叶酸、维生素 A、胡萝卜素、维生素 B_2、维生素 B_2、维生素 C、维生素 E、钙、磷、钾、钠等。

每100 克豇豆含可食部100%，水分10.9克，能量1347 千焦，蛋白质2.9 克，脂肪0.3 克，碳水化合物5.9 克，叶酸66 微克，膳食纤维2.3 克，维生素 A 42 微克，胡萝卜素250 微克，维生素 B_2 0.07 毫克，维生素 B_2 0.09 毫克，烟酸1.4 毫克，维生素 C 19 毫克，维生素 E 4.39 毫克，钙27 毫克，磷63 毫克，钾112 毫克，钠2.2 毫克，镁31 毫克，铁0.5 毫克，锌0.54 毫克，硒0.74 微克，铜0.14 毫克，锰0.37 毫克。

（1）帮助消化：豇豆所含 B 族维生素能维持正常的消化腺分泌和胃肠道蠕动的功能，抑制胆碱酶活性，可帮助消化，增进食欲。

（2）降糖作用：豇豆的磷脂有促进胰岛素分泌，增加糖代谢的作用，是糖尿病病人的理想食品。

（3）抗病毒作用：豇豆中所含维生素 C 能促进抗体的合成，提高机体抗病毒的作用。

【食性】甘、平。归脾、肾经。

【功效】健脾和胃，补肾止带，止消渴。

【饮食调养】《滇南本草》载："治脾土虚弱，开胃健脾。"《本草纲目》载："理中益气，补肾健胃，和五脏，调营卫，生精髓，止消渴，吐逆，泄痢，小便数，解鼠莽毒。"《医林纂要》载："补心泻肾，渗水，利小便，降浊升清。"《本草从新》载："散血消肿，清热解毒。"《四川中药志》载："滋阴补肾，健脾胃，消食，治食积腹胀，白带，白浊及肾虚遗精。"适应于脾胃虚弱，食积腹胀；糖尿病口渴多尿；妇女带下白浊；肾虚遗精、遗尿；肾功能衰弱，尿毒症。

（1）用于食积腹胀：生豇豆适量，细嚼咽下，或捣碎用冷开水泡服。

（2）用于糖尿病：用带壳干豇豆水煎，吃豆喝汤。

（3）用于补肾气：每日空腹，将煮豇豆调少许盐食之。

（4）用于解鼠蟒毒：以豇豆煮汁饮。

（5）用于白带、白浊：豇豆、藤藤菜，炖鸡肉服。

【饮食注意】《得配本草》载："气滞便结者禁用。"

【按语】《本草纲目》载："豇豆，嫩时充菜，老则收子，此豆可菜可果可谷，乃豆中之上品。"《随食居饮食谱》载："豇豆软（嫩）时采荚为蔬可荤可素，老则收子充食亦馅亦糕。"老豇豆可以熬粥、蒸饭或者做成糕饼。

八、鹰嘴豆

【基原】为豆科植物鹰嘴豆属中的栽培种。鹰嘴豆起源于亚洲西部和近东地区，公元前2000多年在尼罗河流域已有栽培。据《中国农业百科全书》记载，鹰嘴豆主要分布在世界温暖而又干旱的地区。在印度和巴基斯坦，鹰嘴豆为一种十分重要的食物，在欧洲食用鹰嘴豆也十分普遍。在我国新疆维吾尔自治区、甘肃和云南省有少量栽培。

由于地理环境的差异，鹰嘴豆产生了许多变异，根据这些变异，种性可分为四个族，即地中海族、欧亚族、东方族和亚州族，前两个族的种子较大，种皮白色；后两个族的种子较小，种皮红色或褐色。

【异名】鸡豆、鸡头豆、鸡碗豆、桃豆。因其形尖如鹰嘴，故称鹰嘴豆。新疆俗称"诺胡提"。

【营养保健】鹰嘴豆属于高营养豆类植物，富含多种植物蛋白、脂肪、碳水化合物、维生素、粗纤维及钙、镁、铁等，还含有胆碱、肌醇、淀粉、蔗糖和葡萄糖。其中蛋白质含量高达28%以上，脂肪5%，碳水化合物61%，纤维4%~6%。含有10多种氨基酸，其中人体必需的8种氨基酸全部具备，而且含量比燕麦还要高出2倍以上。

每100克鹰嘴豆含蛋白质22克，粗脂肪4.22克，粗纤维0.26克，维生素 C 11.64 毫克，维生素 B_1 146 微克，维生素 B_2 740 微克，钾 805 毫克，钙 47.2 毫克，铁 9.75 毫克，锌 1.9 毫克，磷 334 毫克。

（1）植物性雌激素样作用：鹰嘴豆所含的异黄酮对女性健康的影响很大，是具有活性的植物性类雌激素，它能够延迟女性细胞衰老，使皮肤保持弹性、养颜、丰乳、减少骨丢失，促进骨生成、降血脂、减轻女性更年期综合症状等。

（2）防止癌症：鹰嘴豆所含的异黄酮也有防止癌细胞的增殖，促使癌细胞死亡的作用。可以很好地防治荷尔蒙类癌症（如乳腺癌和前列腺癌），它可以平衡荷尔蒙水平，让食用者很少受到经前不适和荷尔蒙相关问题（如卵巢囊肿）的困扰。

（3）保健作用：鹰嘴豆对于儿童智力发育、骨骼生长及中老年强骨健身具有很大作用。

（4）降低血脂：因鹰嘴豆所含的钙、镁、铁、锌等微量元素很高，对降低血脂、胆固醇，加强中老年人中枢神经系统的抑制和心脑血管的保护有很大作用。

（5）降血糖作用：鹰嘴豆所含亚油酸以及纤维素也很高，亚油酸是抑制糖尿病的主要成分之一。纤维素也有降低血糖的作用。

【食性】甘、温。归脾、肾经。

【功效】润肺养颜，益肾健骨，健胃消毒。

【饮食调养】临床特别是对糖尿病、心血管病、肾虚、血虚等方面作用明显。

【饮食注意】鹰嘴豆的干品应浸泡在水中最少5~6小时，然后放入煮饭，或煮熟后拌菜，或在炖菜中放入。

第四章　各类粮食的营养与保健

【按语】 在新疆，鹰嘴豆的种植历史已达两千五百多年，是维吾尔医生常用的药材。据《中华人民共和国卫生部药品标准维吾尔分册》记载，鹰嘴豆富含人体易吸收的18种氨基酸及钙、钾、锌等多种营养物质，其生物质和蛋白质消化率均优于其他豆类。鹰嘴豆一直被应用到日常疾病的临床治疗中，据中国科学院新疆分院理化技术研究所所长任迪远对鹰嘴豆的研究发现，在欧洲，人们早就在使用鹰嘴豆生产的产品做为糖尿病病人、胰岛素抵抗病人和低血糖病人的食品补充剂。可做利尿剂、催奶剂，可治疗失眠，预防皮肤病和防治胆病。

我国新疆和田地区是国际公认的世界四大长寿地区之一。维族人的日常饮食中，通常以牛羊肉、奶制品、高糖瓜果为主，如此高脂肪、高蛋白、高热量的食物摄入，可在当地却很少有人患糖尿病和心脑血管疾病。联合国卫生组织科考后发现，因为在他们的主食——手抓饭里，掺有食物鹰嘴豆，正是鹰嘴豆起了平衡膳食的关健作用，让他们远离糖尿病及"三高症"。

当地人除寿命极长外，他们的生育能力也极强，当地男性70、80岁依旧可以生儿育女，这与特殊环境下生长的鹰嘴豆具有很强的能量素，可以充分补充人体有关肌能。因此在当地鹰嘴豆也被称为"长寿豆"。

鹰嘴豆的种子具有板栗香味，可做主食，也可制成罐头食品，或炒熟食用，或作甜食，也可加工成油炸豆，其风味和质量比蚕豆好得多。青豆作蔬菜，也可生食，嫩叶亦用作蔬菜。

【附】 鹰嘴豆茎、叶、荚

鹰嘴豆茎、叶、荚上都有腺体，这些腺体的分泌物，在医药上可以医治支气管炎、黏膜炎、霍乱、便秘、痢疾、消化不良、肠胃气胀、毒蛇咬伤、中暑等疾病，还能降低血液中的胆固醇含量。

鹰嘴豆的淀粉是棉、毛、丝纺织原料上浆和抛光及制造工业用胶的优质原料。

九、利马豆

【基原】 为豆科菜豆属植物中的一个栽培种。起源于墨西哥至秘鲁的广大地区。小粒型起源于墨西哥沿太平洋沿岸的丘陵地带；大粒型起源地

粮食的营养与保健

为秘鲁。主要分布在南美洲、中美洲、美国、印度、马尔加什等地。中国有零星栽培，主要分布在广西、广东、云南、江西、江苏、台湾等省（自治区）。

中国利马豆品种资源较少，均为蔓生型。小粒型品种如江西的白玉豆、花玉豆，广西的小荷苞豆；大粒型品种如云南荷苞豆，海南省的面豆，江西省的大花玉豆。

【异名】洋扁豆，其白皮（种皮）白脐者又称为白扁豆。

【营养保健】利马豆干豆粒含蛋白质、脂肪、碳水化合物，含17种氨基酸。

每100克鲜豆粒中含蛋白质26.6克，脂肪1.6克，碳水化合物66.6克，还有丰富的磷、铁、锌、钙等矿物元素。

【食性】甘、平。归脾、胃经。

【功效】滋补调养。

【饮食调养】夏食消暑提神，冬食补脾养胃。干子粒作主食，也可制成罐头食品。青豆是优质蔬菜，并可快速冷冻后出售。

【饮食注意】深色的小粒品种子粒含氢氰酸较多，有毒，需煮后清洗几次才能食用；白粒品种含氢氰酸极少，食用安全。

【按语】利马豆在果荚颜色由绿色开始转白色时采收最为适宜，此时种子饱满呈白中带绿丝，鲜荚出豆率较高，品质好；采收干种子的则在荚色转黄后采收。

十、黎 豆

【基原】为豆科黎豆属一年生缠绕性草本植物头花黎豆的种子。原产于亚洲南部，分布于热带和亚热带地区（美洲除外），中国四川、云南、广西、贵州、湖南、湖北、安徽等省（区）也有栽培，日本也广为栽培。

可作蔬菜食用的有黄毛黎豆（S. hassjoo Piper et Tracy.）、茸毛黎豆（S. deeringianum Bort.）、黎豆（S. capitatum Kuntze）及白毛黎豆（S. niveum Kuntze）4个种。

【异名】虎豆、狸豆、八升豆、巴山虎豆、鼠豆、狗踭豆、白黎豆、龙爪豆、猫爪豆、猫豆。

【营养保健】黎豆食用嫩荚或老熟豆粒。每 100 克老豆粒含蛋白质约 24.5 克，脂肪 9.9 克，纤维素 4.4 克，还含钙、磷等矿物质。

【食性】甘、微苦，温；有小毒。归脾、胃经。

【功效】温中止痛，强筋壮骨。

【饮食调养】《本草拾遗》载："黎豆，生江南，蔓如葛，子如皂荚子，作狸首文，故名黎豆。"主治胃脘痛、泄泻、腰痛。

【饮食注意】①黎豆有微毒，烹调前需先用沸水煮熟，如食用嫩荚，趁热去掉有绒毛的荚皮后，放入清水中浸泡漂洗约 36 小时，以不现黑色为止，切成丝、块与辣椒混炒。②老熟豆粒需水浸 2～3 天或更长的时间，以免误食中毒。

【按语】黎豆除炒食外，还可加工成豆酱、豆腐等，亦可入药。或煮食。茎叶可作家畜饲料和绿肥。

十一、木 豆

【基原】为豆科多年生木本植物木豆的种子。原产于印度，或埃及与东非之间。广泛分布于热带和亚热带地区。主产国为印度，中国华南和西南各省有少量栽培，分布四川、广东、广西、台湾等地。

木豆植株高 1～4 米，树冠 1～2 米，多次分枝。叶互生，三出复叶。花瓣有黄色、红色、内黄外紫红 3 种颜色。豆粒有浅棕色、深褐色、浅灰色和红色。株型分直立紧凑型、松散型和半松散型。按熟期可划分为：早熟品种（生育期 160～180 天）、中晚熟品种（生育期为 180～200 天以上）、晚熟品种（生育期为 200 天以上）。

【异名】柳豆、树黄豆、鸽豆、豆蓉、观音豆、树豆。

【营养保健】木豆子粒含蛋白质、脂肪、碳水化合物、并含鞣酸等。

木豆每 100 克可食部 100%，水分 10.7 克，能量 1423 千焦，蛋白质 19.8 克，脂肪 4.5 克，碳水化合物 58.8 克，膳食纤维 3.7 克，灰分 6.2 克，维生素 B_2 0.66 微克，钙 231 毫克，磷 528 毫克，铁 12.5 毫克。

可制作豆粉、豆腐、豆浆、豆芽、豆酱、豆馅等。

【食性】甘、微酸，温。归肝、脾经。

【功效】清热解毒，止血止痛，补中益气，利尿通淋，排痈肿。

粮食的营养与保健

【饮食调养】《泉州本草》载："清热解毒，补中益气，利水消食，排痈肿，止血止痢。"常用于脾虚水肿，痈疽肿毒，痔疮，血淋，脚气水肿。

（1）用于肝肾水肿：木豆、薏仁各15克。水煎服，每日2次，忌食盐。

（2）用于血淋：木豆、车前子各9克，合煎汤服。

（3）用于痔疮下血：木豆浸酒一夜，取出，焙干研末，泡酒服，每次服9克。

（4）用于痈疽初起：木豆，研末泡酒服，每次服9克。

【饮食注意】个别病人服用后会出现ALT升高以及轻微的胃部不适、腹泻、潮热、皮肤瘙痒的症状。

【按语】从海南民间药方中发现木豆叶对血管再生、治疗股骨头缺血性坏死有神奇功效。

【附】木豆根

用木豆根治水痘有两个好处：一是促使患处早日结痂；二是愈后无疤痕。此方流传于广西横县广大农村。